知的生きかた文庫

ジョン・グレイ博士の

「大切にされる女《わたし》」になれる本

ジョン・グレイ
大島 渚訳

三笠書房

プロローグ

「愛され、大切にされている自分」を実感できる…

――男と女の〝小さな交渉術〟、教えます！

男と女の関係は、いま大きく変わりつつある。

〝自分の可能性〟に気づき始めた女性は、自分の中の男性的な側面を伸ばし、社会でも活躍の場を広げている。一方、男たちも自分の中の女性的な面を知り始め、優しさや繊細さといった部分を大切にするようになってきている。

私は世界的なベストセラーとなった『ベスト・パートナーになるために 男は火星から、女は金星からやってきた』の中で、男と女はものの考え方から話す言葉までまったく違っている、と紹介した。本書では、この考え方を踏まえた上で、新しい時代にふさわしい「男と女の人間関係」について考えていきたいと思う。

それまで気持ちがすれ違っていたカップルも、本書で紹介する小さなテクニックを知れば、面白いほどに二人の関係はプラス方向に変わっていくだろう。

たとえば、口数の少ない男性が突然、会話上手になることを期待するのは現実的ではない。しかし、女性が少し手を貸してあげれば、男はよい聞き手に変身することができる。

その他にも、男の心を逆なでしないように自分の気持ちを伝える方法、男が気持ちよく応じてくれるものの頼み方、女らしさを失わずに強くなる方法、パートナーを支えつつ、自分も必要な支えをパートナーから得る方法――こうしたテクニックを本書ではあますところなくお伝えしていきたい。

男たちは全面的に自分を譲るか、その反対に激しく相手をやり込める方法しか、コミュニケーションの仕方を教えられていないことが多い。強さを失わずにパートナーの心の支えになる方法を知らないのだ。

しかし、女性たちがあと一歩賢くなることで、思いやりや共感の言葉、満ち足りた気分になるちょっとした心遣いを男から引き出すことはできる。「私は彼にとって特別な存在なのだ」という安心感を手にできるのだ。

この本で私がお教えするアプローチの仕方なら、カップルの間に不必要な摩擦が起きることもなく、無理なく自然に自分たちを変えていけるはずである。

ベスト・パートナーになるための〝コミュニケーション・テクニック〟

本書で紹介するパートナーの〝心の欲求〟に応えていくためのテクニックの中には、お馴染みだったり、時代遅れと思われたりするアイデアが含まれているかもしれない。しかし、私はそれらをまったく新しい角度からとらえ直した。

たとえば、「女は男にとって喜びであるべきだ」と私が言うと、一瞬、差別的と受け取られるかもしれないが、二人のための一歩進んだコミュニケーション・テクニックの文脈においては、まったく違う。

詳しくは本文で紹介することにするが、本当にちょっとした気遣いで、女性は男を勇気づけることができる。そして、そのお返しとして彼から「愛され、大切にされている」ことを実感できる言葉や思いやりをプレゼントしてもらえるのだ。

つまり、「女が男にとって喜びになる」ことで、男は男らしさを、女は女らしさを深く実感でき、二人の絆はさらに深まるのである。

これまではずっと、男は経済力の面で女を支えることが期待されてきたが、いまは何よりも「心の支えになる」ことが求められている。

男も女もこれまでのやり方を変えていくのは面倒だと感じるかもしれないが、一歩一歩前へ進むたびにしだいにコツがつかめてくるし、そうした変化を楽しめるようになってくるだろう。そして、いったん身につけてしまえば、このテクニックはあなたの人生のあらゆる場面で人間関係を豊かにしてくれるはずだ。

パートナーとの愛や情熱が消えるべき理由はない。知り合ったばかりの頃の幸福感が色あせていく必要もない。「女は何を求めているのか、男は何を望んでいるのか」がわかれば、カップルは互いに満ち足りた関係を、より深めていけるはずだ。

若い恋人たち、あるいは婚約中や既婚のカップルにも、ぜひ二人で一緒に読んでほしい。

いつまでもベスト・パートナーであるために——。

ジョン・グレイ博士の「大切にされる女《わたし》」になれる本◎もくじ

2章 〝男の脳〟はこう考え、〝女の脳〟はこう感じている

……男と女の〝すれ違い〟を克服するコツ、教えます

3章 「話を聞いてほしい気持ち」の上手な伝え方

……〝男から大切にされる女性〟はここに気づいている

4章

二人の愛をさらに深める魔法のルール

……パートナーに〝新鮮な刺激〟をプレゼントしよう！

5章

これだけは守りたい…男と女の〝感情の法則〟

……〝ちょっとした一言〟が信頼を育てる、共感を生む！

6章 女らしさ、男らしさを大切にしてますか

……"男と女の違い"こそ二人の絆を強くする

7章 男と女がうまくいく究極の"愛のステップ"

……あと一歩、パートナーの心に近づくために

1章

女《あなた》が愛されるための大切なルール

……パートナーの“心の欲求”に気づいてますか

私のセミナーに参加した女性は、聴衆の半数が男性であることにいつも驚きの表情を見せる。

彼女たちには信じられないようだが、男たちも女性を幸せにする方法を真剣に探し求め、パートナーといい関係を築きたいと思っているのだ。

多くの女性たちがパートナーが自分の気持ちを理解してくれないと私のところへ相談にくる。そして、パートナーとの関係に不満を抱いている女性は、つい男につれない態度をとってしまいがちだ。

一方、こうした不満をぶつけられた男のほうはと言えば、「自分はもう彼女を幸せにしてあげられない」と無力感にうちのめされる。これは、男と女がすれ違う典型的なパターンだ。

男も女も、パートナーとの関係でたくさんのフラストレーションを抱えている。それは、男は女の求めているものがわからず、女は男の必要としているものを与えてやるにはどうしたらいいか、わかっていないからだ。

では、どうすれば男と女はパートナーが望むものを与え合うことができるのか——まずそこから考えていくことにしよう。

❋男は〝感謝の言葉〟というご褒美を待っている

男は愛する女性を幸せにすることで深い満足感と自信を覚える生き物だ。いまも昔も、男が厳しい競争社会や仕事に耐えてこられたのは、一日が終われば愛する女の感謝によって、その日の戦いと苦労が報われるからであった。女からの感謝の言葉が、男の労働への〝ご褒美〟だったのだ。

しかしいまの時代、多くの女性たちは仕事で忙しい毎日を送っている。女性も仕事の時には男の行動様式にのっとって考え、話し、反応し、行動することが求められる。これは女性にとって、とてもストレスのたまることで、長い一日の終わりには、彼女たちも愛と感謝で報われたいと思うようになった。

「私だって仕事で疲れているわ。どうして私だけが彼に感謝しなければならないの？」

疲れていると、女性は女らしい温かさや包容力に満ちた態度をとることがむずかしくなる。男がパートナーに期待している〝心の支え〟を与えることができなくなってしまうのだ。

その一方で、男たちは女性から感謝されなければ、また彼女が幸せでなければ、自分の働きを無意味だと感じてしまう。そんな時、男たちは「いままでだって感謝されていないのにこれ以上頑張ったところで何になる？」と自問しているのだ。

❋〝女らしさ〟と〝有能さ〟を両立させるには

以前、ほとんどの女性が家庭の外で働いていなかった時代には、女性には他の女たちの助けの手がいつでも差し伸べられていた。女たちは競争ではなく協力の精神で助け合い、時には仕事の手を休めておしゃべりを楽しんだ。一人が他のみんなを気遣い、みんなは一人のことを気遣った。

こうした日常生活は、女らしさと愛情豊かな心を育んだ。

しかし現代の、競争の厳しい男性支配の職場は、人づきあいを大切にするような女らしい環境ではない。

私のセミナーに参加したある女性が、そんな気持ちを語ってくれたことがある。

「私、まるで男の真似をしているような気がするわ。女は職場の先輩に、『そうか、こうすればうまくいくのね』と納得できるモデルがなかなか見出せないの。強くて説得力があって、同時に女らしい女であるためにはどうすればいいのかしら。本当の自分はどんな人間なのか、少しずつわからなくなってきているみたい」

他の多くの女性と同じように、彼女も女らしさと有能さを両立できないことにいらだちを覚えていた。仕事ができる女性、まじめでよく気がつく女性ほど、こうしたジレンマに陥りがちなようである。

きっちりと決められたスケジュールの下で効率よく仕事をし、感情よりも利益計算を優先した決定を下し、意思決定を速やかに行ない、非難をかわす抜け道を画策し、損得勘定で人と結びつき、自分が得をするように時間とエネルギーを使う……。

こうした仕事の上で評価される〝有能さ〟はすべて女らしい心を貧しくしてしまうのだ。

女が〝恨めしい気分〟、男が〝怠け者の気分〟になる時

女性は生まれつき喜んで与えるようにできているが、同時に与えてもらわなければならない。与えているのに返ってくるものが何もないと、もっともっと与えようとし、しまいには力尽きて空っぽになり、恨みを抱くようになる。

これが男性と女性の大きな違いである。一般に、男は疲れると問題を忘れてゆっくり休もうとする傾向がある。求めていた手助けが得られなければ、男はそれ以上与えることをやめてしまう。

一方、女性は、誰も助けてくれないと感じると、もっと頑張らなければと思い、くつろぐどころではない。そして、自分が解決する必要のない問題まで心配するようになる。

重圧を感じれば感じるほど、やるべきことが多ければ多いほど、女性は優先すべきものと、後回しにできるものの区別がつかなくなってくる。するべきことが山ほどあり、誰も助けてくれないという状況に追い詰められるほど、この本能は頭をもたげてくる。

たとえば働く女性が夫や家族から家事の協力が得られない場合などは、この典型である。彼女は、家のことがうまく回らないのは自分の努力が足りないからだと思うようになる。そして、もっと頑張らなければと本能的に自分を叱咤《しった》するだろう。

また、くつろいで仕事の手を抜くのが女にとって難しいのと同様、男が女性に協力するためのエネルギーを見つけるのは大変なことだ。なぜなら、男は「仕事が終わればくつろぐもの」と機械的に思い込むようになっているからだ。

こうした男女の違いを理解しなければ、パートナーへの思いやりは生まれてこないのである。

❋男から〝いたわりの言葉〟を引き出すコツ

スコットはフルタイムの仕事で家族を支え、妻のサリーはパートタイムで働きながら家事や育児をこなしている。スコットは帰宅してもサリーに注意を払わない。サリーが何か手伝ってと頼むと、少しいらついた様子を見せる。夕食の時、彼女がスコットによそよそしくするのを、彼はまったく理解できない。

気持ちを尋ねると、サリーはこう言った。

「彼は、今日はどうだったとか、いたわりの言葉一つかけてくれないの。何か手伝おうかくらい言ってくれてもいいのに。彼がソファでくつろいでいる間、私は彼のために何もかも一人でしなければならないの」

スコットの言い分はこうだ。

「僕は一日の疲れをとるためにソファでくつろぐ。今日はどうだったと彼女に声をかけたところで、聞かされるのは用事が山のようにあるだの、あなたも何かしてちょうだい、なんて文句だけだ。僕はせめて家にいる時はのんびりしたい。やることが多すぎるなら、少し手を抜けばいいんだ」

サリーは彼の言葉にこう反論した。

「私は休まなくていいとあなたは思っているわけ？　私はのんびりしたくたってできないのよ。誰かが夕食をつくり、掃除をし、子供たちの面倒を見なければいけないもの。どうしてもう少し協力するとか、せめてありがとうの一言が言えないの？」

スコットは私の方を見て、「ほら、こうですからね」と言った。

その一言に込めた彼の気持ちは、「ね、これだから家に帰っても彼女とは口をききたくないんです。何か言おうものなら、あれやこれや手伝わされるだけなんだ。こんなことでは心を開くなんて無理ですよ」ということだ。

多くのカップルで同じような言葉が繰り返されている。女性はパートナーが協力してくれないことに怒り、男性は彼女の言葉を「あなたのしていることは十分ではない」というメッセージだと受け取って、傷ついている。

その一方で、女性はいたわられ、助けてもらいたいと思い、男性の方も一日の疲れを癒したい、自分の仕事に理解と感謝を示してほしい、と思っている。

この男と女の典型的な〝すれ違い〟を解決するには、まず、どちらも悪くはないのだと理解しなくてはならない。その上で、一歩進んだコミュニケーション・テクニックを取り入れればいい。

男と女が互いに何を求めているかがわかれば、新しい解決策は見えてくる。新しいテクニックをマスターすれば、男はほとんど変わらなくてもいいし、女性はより多くのものを与えられる。つまり、さほど努力をしなくても、女性は精神的な支えを、男はパートナーの感謝を受け取れるのである。

女性は精神的に支えられていると感じると、心が安定し、先に見たような焦燥感が消えていく。あれはできるがこれは無理という判断、限られた時間とエネルギーの中で何を優先すべきかという判断を落ち着いて下せるようになる。

男もまた、彼女に感謝されていると感じると、少しずつ彼女に手を貸すようになってくる。そして、女が「与え続けていく」ために必要としている共感と理解を、男はすぐに彼女に与えられるようになるのである。

❋なぜ〝男の本質〟をありのまま受け入れることが大切なのか

昔は、男が外で必死に働いてくれれば、それだけで女は彼の愛を実感できた。ところが、いまや男が仕事にばかり没頭することは愛がないという証拠になってしまう。

また、いまの女性は相手の世話ばかり焼いていると、自分の欲求を犠牲にしているような気がしてくる。それは女性にとって時限爆弾を抱えているようなものだ。少しずつストレスがたまり、そのうちそれが一気に爆発し、恨みがましくなって、「誰も私を助けてくれない」という思いに苦しむようになる。

そうなると、パートナーを愛していても愛情深くなれない。男の方もパートナーが不満をため込んでいるのを見て、彼女を幸せにしてやれない自分を責め、時には完全に自分の殻に引きこもるようになってしまう。

男が心を開くには、それなりの時間がかかる。これは、女が心を開くのに時間がかかる場面と比較するとよくわかる。たとえば、ストレスの多かった一日の後でセックスを楽しもうと思ったら、たいていの女性は、その前にまずゆっくり話をしてロマンチックな気分にならなければ……と思うはずだ。

それと同じように、男は仕事を終えた後でパートナーにすんなりと心を開くことがなかなかできない。

一つのことにのめり込んだら、あとのことは忘れてしまうという男の性質を理解すれば、女性ももっと心を広く持って彼を受け入れ、相手に感謝できるようになる。自分の殻に引っ込んでしまう彼を恨まなくなる。

ありのままの彼を理解し、受け入れ、その上で一歩進んだつきあい方のテクニックを使えば、してほしいことをしてもらえるようになる。また彼がストレスを発散させて心を開く手助けもできるのだ。

男は「理詰め」で女の〝感情の火〟を消そうとするが……

女性が男性化してしまい、自分の中の女らしさをいたわらないと、精神面で男と女の役割が入れ替わってしまう。すると、女性は男性的な欲求に従って行動するようになる。

仕事上やパートナーとの関係で問題や不満をどっさり抱えている女性がたくさんいるが、それはたいてい、この役割が入れ替わってしまったことに端を発していることが多い。そして、女性が毎日、精神面で男女の切り替えをする必要に迫られていると、そのストレスは二人のロマンスと情熱と愛を長続きさせる上で大きな打撃となる。

意識してこのストレスを何とかしないと、坂を転がるボールがだんだん速度を増していくように、女性の欲求不満は際限なくエスカレートしてしまう。男がこの女性の

SOSに気づかずに二人の問題を理詰めで解決しようとすれば、さらにまずいことになるだろう。

　ある日、妻のボニーと私は、心ゆくまでテニスの試合をして家に戻った。

「このままバタンキューと昼寝したいな」と私は言った。

「いいわね」と彼女もうなずく。

「私も少し横になりたいわ」

　寝室に行くために階段を上がっていきながら、彼女が後についてこないことに気づいて、声をかけた。

「君は休まないの？」

「そうしたいのは山々だけど」と彼女は大声で返す。

「そういうわけにはいかないわ。車を洗わないと」

　休日に昼寝より洗車を優先するなんて、いったいどういうつもりなんだ？　その時に私は、私たちはお互いに別々の星からやってきたんだなと痛感した。

　しかし、この時の彼女は自分のすべきことをまず片づけなければという義務感に襲われていたのだ。しかし、私はまったくそれに気づかなかった。彼女の話を聞いて「女らしさ」をいたわってやれば、彼女の責任感を軽くしてやれたのだが、そんなコツさえまだ知らなかった。

　つまり、私の支えがないと彼女はくつろげないということをまるで理解していなかった私は、そのまま階段を上がっていって、自分勝手にさっさと寝てしまったのだ。爽快な気分で目を覚まし、私はロマンチックな夜を期待しながら階下へおりていった。ところがボニーはご機嫌斜めだった。

　何気なく、「君も昼寝すればよかったのに。僕はすっかり疲れがとれたよ」と言ったら、しらっとなってしまった。

　彼女は冷ややかに、「私は昼寝なんかしていられないの。これからまだ洗濯、子供の宿題の手伝い、掃除が残っているのよ。それが終わっても夕食の支度があるんだから」と答えた。

　気持ちを聞いてほしい彼女の欲求に気づきもせずに、私は、夜は外食にすれば、と提案することによって問題を解決しようとした。

「何もわかってないのね、あなたは」とボニーは言った。

「冷蔵庫に入ってる材料はどうなるのよ。ローレンの学校の宿題もまだ終わってないし」

「今日は週末だ。少し休めばいいじゃないか」

この時点で、私の機嫌も悪くなっていた。ボニーはますます気が立ってくるし、提案をはねつけられた私も腹が立った。

❋「気持ちを吐き出す」と女は一息つける

ところがいままでは、ボニーがしなければならないことが多すぎると不満を訴える時、私たちは以前とはまるで違うやりとりを交わすようになった。私はピシャリとはねつけられたと思い込むこともなくなったし、自分を正当化することもしなくなった。いままでは何をしたらいいのか心得ているからだ。彼女は女らしさを回復するために気持ちを吐き出さなければならず、私はそれを支えてやらなければいけない。


「どうしたの？」

「何だかしなければならないことが多すぎて」

「そうか」

「時間が足りなくて」

「それで？」

「これから洗濯をしなきゃならないし、夕食の支度もまったく手をつけてないの」

「へえ」

「今日、パールを歯医者に連れていくことになってたのに、私ったらすっかり忘れてしまって」

「何をしてたの？」

「思い出したくもないわ」

「ふーん」

「パールは家で何かあったんじゃないかって心配してたわ。（間）こんな大事なこといままで忘れたことなかったのに」

私は何も言わずにただ大きなため息をついて、うん、うん、と深くうなずいてみせた。

「だけどもういいのよ。別の日に予約を入れ直したから」

「そりゃよかった」

「夕食どうしよう。まだ何にするかも考えてないわ」

「そうだなあ……」

「あなた、今日は残り物で構わない？」

「ああ、いいよ。何があるんだい？」

「さあ、どうだったかしら。今日はほんとに何もつくる気がしないわ」

「外に食べにいくのはどう？　そうすれば僕たちも時間ができるし」

「それいいわね」


少し練習しただけで、私たちはこんなに変わったのだ！　この相手を支える方法を知らなかったら、二人は言い争ったあげく、残り物を食べ、お互いに憤懣《ふんまん》やるかたない、しらけた気持ちを抱いて眠らなければならなかっただろう。

❋男は〝女のグチ〟をこう誤訳する

女性は、女らしさをいたわられず、自然に生まれてくる幸福感に包まれていないと、なかなか気持ちを打ち明ける気分になれない。だがもっと悲しいのは、女らしさを失うほど、自分が求めているものは何なのかを見失ってしまうことである。

何かが欠けていることはわかっていても、それが何なのかわからなくなってしまった——彼女は、たいていそれをパートナーのせいにしてしまう。そして、女らしさを失うほど、女性はパートナーが差し伸べてくれる手に素直にすがれなくなる。

パートナーの男性も、彼女を幸せにできず、二人の関係を変えることもできないので無力感を感じ、欲求不満が募っていってしまう。

女性はパートナーともっと話をしたいと思っている。安心して、素直に、たわいのない話ができる環境を求めている。大変だった一日のことを理解し、いたわってくれる人がそばにいるという安心感が欲しいのだ。

一日の重圧から解放されるためには、女性は話をしなければならない。女性は男性に問題の解決策を求めているのではなく、ただ思いやり深く聞いてほしいのだ。逆に、男が女性の問題を解決しようとすると、二人の会話はどんどんこじれていってしまう。

1 彼女が「あなたは何も聞いていないのね」とか、「あなたはちっともわかってくれない」と言う

2 彼が「とんでもない、ちゃんと聞いてるさ」とか、「こんなすばらしい解決策は他にはあり得ない」と言う

3 さらに彼女が「でも、あなたは本気で聞いていない」とか、「私の問題をちっとも理解してくれないのね」と言い募る

4 彼の不満がふくらんできて、確かに理解していること、彼の提案は完璧なことを証明してみせようとする

5 とうとう言い争いになる

こうした会話では、女性の言葉を男が「あなたは私の言葉を少しもわかってない、あなたの示した解決策も間違っている」と誤解することから起こる。だが彼女の言いたいのは、「あなたは私の求めている同情や思いやりを少しも見せてくれないのね」ということなのだ。

「あなたはちっともわかってくれない」という言葉の真の意味は、「あなたは私があなたに求めているものがわかってない。私はただ聞いてほしいの、思いやってもらいたいの」ということなのだ。

❋男は〝沈黙〟、女は〝おしゃべり〟で心の平安を手に入れる

あるコメディアンに言わせると、神は女性に一日六千語を、男性には二千語を与えたもうたそうである。一般的に、一日の仕事で男も女も二千語を口にする。女は帰宅

した時点で、まだ四千語も話し足りない。まだまだ言葉が余っているため、当然、「私はないがしろにされている」と感じてしまうのだ。一方、男の方は与えられた二千語をすでに使いきってしまっている。

これは少々冗談めかした理解の仕方だが、「気持ちを聞いてほしい」という女の欲求を男が理解した瞬間から、文字通り、何千組ものカップルが救われてきた。

男が問題について話す時は、ふつう解決策を求めている。一日の疲れを癒している間は、男は話をしたいとは思わないものだ。心の静けさを男は沈黙することによって手に入れ、女はおしゃべりによって得る。

一言で言えば、仕事に疲れた女が解決の必要な問題について話をしたとしても、本当のところは、ただ相手に向かって気持ちを吐き出したいだけなのだ。

女性も、男性が話に耳を貸さなくても、それは単に彼が「聞いてもらう」ことが女にとってどんなに重要なことかを、知らないだけということを覚えておいてほしい。男は心からパートナーを幸せにしたいと思っているが、その方法がわからないだけなのだ。

男は女を支える方法を知らず、女は支えが欲しいことを上手に男に伝える方法を知らない。だから「以心伝心で欲求が伝わらないかしら」と期待してしまったりする。

さもなければ欲求を外に出さずにため込む。そのうち恨みがましい気持ちがふくらんできて、いずれ爆発し、後は際限なくせがむようになる。

どちらもまずいやり方だ。

なぜ「愛されたい気持ち」を男に曲解されるのか

時代が変わって、女はより多くのものを求めるようになったが、実際のところ、何が欲しいのか自分でもはっきりとつかめているわけではない。

私たちの両親の時代は、男は頼まれる前に愛する人の望んでいることを率先して叶えてやった。自分に何が求められているか男自身が心得ていたし、父親や目上の者にも教え込まれていたから、女性はあれをしてと頼んだり、自分から支えを求めたりする必要がなかった。

しかし、いま、新しい種類の支え――心の支え――が欲しいのなら、女性はその欲求をパートナーに伝える方法や、もっと協力してもらえる快い頼み方を身につける必要がある。

女性にとって、こちらから頼まなければいけないというのは、結構大変なことだ。

わざわざ口に出してお願いし、頼まなければならないとなると、「彼に愛されていないのかしら」という気持ちになる。加えて、女性は効果的な頼み方をすることに慣れていない。

こうしたことを考えると、まずは二人のコミュニケーションの質を高めておいて、それから効果的なお願いの仕方をマスターすればいいのではないだろうか。二人が質の高い会話をやりとりし、男性が女性の気持ちを深く理解できるようになれば、女性の問題に対する男の認識も深まるだろう。

男にしても、無理な要求を突きつけられていると感じれば、自尊心を傷つけられたとは思わないにしても、協力する気がなくなって無気力になってしまう。

以前は車輪がきしんだら油をさしたものだが、いまではきしむ車輪はさっさと新しいのに取り替えてしまう。男と女の関係もまったく同じだ。

より多くのものを求めると、相手をなじっているように聞こえがちだ。男は耳を貸すのをイヤがり、女も頼むのを遠慮するようになる。相手に時間を割いて話を聞いてもらうテクニックを知らなければ、女はじっと耐えて与えられるものだけで甘んじるか、あるいはせがんだりなじったりするか、どちらかを選ぶしかない。

残念ながら、どちらも効果的とは言えない。二人の愛を長続きさせたかったら、女性は二人にとって効果的な方法で気持ちや要求を伝える方法を学んでいくことだ。

女性は、男の仕事や協力に感謝したり、彼の努力をほめてやったりすることがどんなに彼の励みとなるかに気づいていない。男性も、思いやり深く彼女の話に耳を傾けたり、ちょっとした協力を申し出たり、気を配ったりすることで、どんなに女性をいたわってやれるかを知らない。ほとんどの男性は、いまの女性の求めるものがまるでわかっていない。彼女の気持ちや要求に、ほんの少し注意を払うだけでも、まるで違ってくるのに。

❋〝頼み方〟を間違えなければ、男はもっと協力的になる

適切な方法で適切な時に協力を頼まれれば、男だって喜んで手を貸そうとする。数カ月間、二人の間にいいコミュニケーションが続いていて、女性が感謝を示してくれ、あれこれとうるさく要求しなければ、男はもっと進んで協力するようになる。男の「もっと」は女の「もっと」とは比べものにならないかもしれないが。

男も女も、それぞれ求めているものを得られるようになるが、一夜にしてそうはならない。ビジネスで成功するにも、それなりに献身的に働いて新しい戦略を練ること

が必要なように、男と女の関係についても、辛抱強く構えて新しいスキルをマスターしなければならない。

上手に頼めばパートナーからの協力が得られるとわかれば、女性も彼への感謝の気持ちを素直に表わせるようになる。コミュニケーションの不足がすべての原因だとわかれば、二人の会話をもっと充実させようという自信が生まれてくるはずだ。「言葉に出して頼まなくても、私の気持ちは伝わるはず」などと彼に期待しなくなるし、彼の手助けに感謝して少しずつ協力を頼めるようになる。

ただし、女性はパートナーが何でもかんでも願いを叶えてくれると期待しないこと。そして男性も、いつどんな時でも彼女に可愛くて幸せであってほしいなどと期待してはいけない。

テクニックをマスターしていけば、男性は不満を抱えた彼女にイライラする代わりに、いまこそ彼女を幸せにしてあげるチャンスだと思えるようになる。女性も、パートナーが協力してくれなくても、いまこそそれを求めるチャンスだと思えるようになる。

現実的な期待を持つことによって、男は男らしさを、女は女らしさを取り戻し、ありのままの人生を愛して抱きしめられるようになるのである。

2章

“男の脳”はこう考え、“女の脳”はこう感じている

……男と女の“すれ違い”を克服するコツ、教えます

最近になって、男と女は脳の使い方だけではなく、脳そのものにも違いがあることが多くの科学的な研究からわかってきた。しかし、この違いが何を意味するのかは、まだ科学者にもつかめていない。

一般的には、女は言語や論理的な思考をつかさどる左脳と空間的、感覚的な思考をつかさどる右脳を同時に使う傾向があるのに対して、男は一度にどちらか片方しか使わないようである。男と女では脳の使い方がどう違うのかを知れば、男と女の間のミステリーを理解するのにも役立ちそうだ。

仮にこの章で紹介する「男と女の一般論」が読者の個人的な事情や経験に当てはまらなければ、忘れてもらっても構わない。ここで一番大切なのは、「男と女の違い」から生じるいさかいや誤解を前向きに対処していくことにあるからだ。

女は「話す」ことで、男は「行動する」ことで問題を解決する

生物が進化する間に、男と女の体と脳とホルモンは、それぞれの役割と活動に最も適した形に進化していった。たとえば、科学的な実験を行なうと、空間的な認知を行

なう右脳の働きを見るテストでは男が優れ、言語をあやつる左脳の働きとなると女が優れている。

これは男が〝ハンター〟としての役割に、女が〝育む者〟としての役割に適応した結果だと考えられる。

親なら誰でも知っているように、幼児期の女の子は、考えもせずに夢中でしゃべり、男の子は考えもせずにひたすら動き回るものだ。

女は感情が不安定になると、まず話をしようとするが、話しているうちに自分の感情について考えられるようになる。だから、何か問題を解決する必要がある時も、まずは「感情」を外に出し、誰かにそれを聞いてもらい、そこで初めて考えることができる。これが女にとっては一番自然な問題解決の仕方であり、こうしたプロセスを通じて、女は同時に感じ、話し、考える能力を発達させていくのである。

一方、男は感情が不安定になると、まず行動を起こそうとする。行動することで考えがはっきりしていくからだ。そして男はこうしたプロセスを経て、同時に感じ、行動し、考える能力を少しずつ発達させる。

このように、男と女は〝脳の働き方〟がまったく違っている。男は基本的に、コミュニケーションを自分の考えを伝える手段として使い、それによって目的を遂げたり問題解決をはかろうとする。一方、女は男と同じ理由で話をすることもあるが、おもに、自分の気持ちをつかむため、また、考えをはっきりさせるために話をする。女にとってコミュニケーションは、男よりはるかに大きな意味があるのだ。

逆に男にとっては、行動することがより重要な意味を持っている。行動は男にとって思考を活性化させるポンプのようなものだ。考えをはっきりさせ、誰かに気持ちを伝えるための一番重要な手段なのだ。

❋“男のリアクション”を読み違えていないか

女性は、男には静かに自分の気持ちと考えを見つめる時間が必要なことを本能的に理解できない。反対に男は、女性が自分の気持ちを話す必要があるということがわからない。だから、男と女はお互いに果てしない欲求不満を感じるのだ。

女性がパートナーに対してこぼす不満は次のようなものである。

1 二人の間が親密になったとたん、彼は一歩引いて話をしなくなる

2 私の話を親身になって聞いてくれず、代わりに問題を解決しようとする

3 めったに愛していると言ってくれない
4 心を開いて気持ちを話そうとしない
5 私の感情が不安定な時に、彼は私のしてほしいことをわかってくれない
6 言い争いになった時、彼は自分が正しくないと気が済まない

互いの脳が、その構造から働きまでまったく違っていることを知ったら、女性が男にこんな不満を訴えるわけも理解できるはずだ。そこで、こうした不満を検討して、カップルがこの問題をどう解決していったらいいか考えてみよう。

1 二人の間が親密になったとたん、彼は一歩引いて話をしなくなる

男性は女性と親密な関係になると、いろいろな強い感情に襲われるようになる。すると、男は同時に感じたり、考えたりするのが苦手なので、言葉が見つからなくなるのである。つまり、まごついてしまって、何をしたらいいのか、何を言ったらいいのかわからなくなってしまうのだ。

そこで、自分を取り戻すために、一歩引いて口をつぐんでしまい、考え込んでしまうわけである。そうすることで、男はまた女性への親密さを取り戻すことができる。

男には〝自分の世界〟に引きこもろうとする傾向があるが、女性がこれを理解していれば、パートナーが引きこもっている時間は短くなる。反対に女性がいつも彼にベタベタしたがるほど、男は長く引きこもりがちになる。

2 話を親身になって聞いてくれず、代わりに問題を解決しようとする

同時に感じ、話し、考えるのは、女にとっては何でもないことであるが、男にはなかなか難しい。男は話を聞いて話す（左脳の働き）か、感じる（右脳の働き）か、どちらかを取る。

たとえば男は身を入れてパートナーの話を聞いていると、居心地の悪い感情が湧いてくるので、問題解決することでその感情を抑えたくなる。問題解決する時は右脳を使うので、当然、左脳の働き、つまり「聞くこと」が止まる。これは男にとっては有効だが、女は感情が吐き出せず、不満がたまってしまうのだ。

男は話を聞いたら（左脳の働き）、問題解決する必要を感じる（右脳の働き）ようにできている。しかし、男性がいい聞き手になれないわけではない。

感情的に不安定になっている女性は、とにかく話を聞いてもらえれば満足だ。そこを男が心得ていれば、すぐに問題を解決してやろうとする代わりに、彼女の気持ちに

神経が集中できる。問題解決をする必要がないとわかれば、男はパートナーのいい聞き手になれる。

3 めったに愛していると言ってくれない

男は強く惹かれている女性をデートに誘う時などに、突然言葉を失ったりすることがある。強い感情に襲われている時、男は率直に考えたり、話したりするのが苦手だ。強烈な感情に襲われるほど、男はなかなかそれを言葉にできなくなる。強い愛を感じている時は、男はたいていい言葉を失うものだ。女にはそんなことはないので、理解に苦しむ。

確かに、男は「君を愛しているよ」という言葉を口にする。しかし、これは自分の感情を伝えるためだけではなくて、問題解決のために口にされる言葉なのだ。つまり、彼の意図を彼女に知らせる方法であり、一度言ってしまえば理由もなく何度も繰り返す必要を男は感じない。

パートナーが「愛している」と言ってほしがっていることがわかれば、男はもっと頻繁に口に出そうかという気になる。つまり、「愛してるよ」という言葉がカップルの間の問題解決になるのなら、愛という感情をもっと簡単に言葉にしてもいいと思う。

少し練習すれば、男も「愛している」という言葉が自然に口をついて出てくるようになるだろう。

4 心を開いて気持ちを話そうとしない

男は悩み事があると、まずは自力で解決できないか試してみて、それによって冷静になろうとする。もし、問題についてすぐさまあれこれしゃべり散らしたら、男は問題に対する確かな感触を失い、不安や欲求不満にあっさり足元をすくわれてしまうことになる。

これは、問題があれば話をしたくなる女性には、理解に苦しむことかもしれない。男はじっくり物事を考えるために引きこもっていることが多い。そうすれば問題を小さくすることができるし、否定的な感情が消えていく。

「この問題は大したことじゃない。彼女を許してやって、このことは忘れてしまおう」と男が自分に言い聞かせたとしよう。その後、殻から出てきて女性と向かい合った時に、彼はすでに否定的な気持ちから解放されているので、それについて触れる必要を感じない。

ところが、これが大きな混乱のもとになる。こういう時、女性はたいがい、彼が感情を抑えているのだと勘違いする。彼の方には、本当にもう何も言うことがないだけなのに。

二人の間でいがみ合いや不愉快な言い争いが進行中だったら、休戦の時間を置くことをお勧めする。男の本質がわかれば、女性もパートナーに落ち着いてじっくり問題を考える時間を与えられるようになる。

また二人で話し合う時は、まず男が会話のイニシアチブをとるといい。男はすでに気持ちに片をつけてしまっていて何も話すことがないので、本能的に話し合いには意味がないと思いがちである。しかし、女性の方はたいてい二人の絆を確かめるために話したがっている。だから、男の方が彼女が話をしやすいようにリードする必要があるのだ。

男が二人の間の出来事について口を開こうとしないと、女性はパニックを起こすので、これは大切だ。

5 私の感情が不安定な時に、彼は私のしてほしいことをわかってくれない

女性の感情が不安定な時、たいていの男は彼女にもっと詳しく話をするように促す代わりに（それが彼女の必要としていることなのだが）、問題を分析し解決策を示そ

うとする。これでは彼女はまったく納得しないのだが男はそれに気づいていない。

自分をないがしろにされた女性が「あなたはわかってない」と言うと、男は自分がきちんと理解していることを証明しようと、解決策のすばらしさを必死に力説しだすだろう。しかし、何も言わずにただ彼女の気持ちを思いやろうとすることが、どんなに彼女の力になるかがわかれば、簡単にいい聞き手になれる。

6 言い争いになった時、彼は自分が正しくないと気が済まない

男は感情が不安定になると、はっきりものを考えて気持ちを落ち着かせようとする。明晰な考えに従って行動すれば、万事うまくいくと男は考える。感情が不安定になった時に男が自分が正しくなければ気が済まないのは、このせいなのだ。

女は感情が不安定になったとしても、男のように自分が正しくなければ気が済まないということはない。というのも、すぐに何か行動を起こすわけではないからだ。女はそういう時、まずはもっとおしゃべりしようとする。

男と女のこの違いは、心の問題を話すためにセラピストを訪れる女性の数に統計的に表われている。セラピストにかかる人の九割までが女性なのだ。しかし、女性は脳の使い方が男性と違うことを考えれば、この数字はそう驚くには当たらない。

✻男と女の〝感情の摩擦〟を減らすには

先史時代、男はハンターとして時には獲物を家に持ち帰れないこともあった。そして、十分に家族を養ってやれないという心労を、「自分の手に負える小さな問題」に関心を移すという手法で乗りきるようになった。

男たちは、大したことはない問題に集中することによって、大事な問題を一時的に忘れるのがうまくなった。趣味やスポーツ、娯楽その他何でも、家族を養わなければならないという義務感をそらしてくれる活動で息抜きをするのはそのためだ。

問題を忘れることでストレスを癒す男が、問題について話さなければ気の済まないパートナーのところへ帰れば、当然、そこに摩擦が起こる。これを解決するには、男の方が「パートナーの問題を解決してやらなければ」という責任感を忘れて、彼女の話に耳を傾ける訓練を積むことだ。慣れてくれば、パートナーの話を聞くことで一日のストレスを解消できるようになる。

私の一番の息抜きは、テレビのニュースを見ることだ。問題解決をする必要性を感じなくて済むのでくつろげる。パートナーが話す「問題」も、解決してやる必要のないことがわかってからは、彼女の話を聞いてやることがニュースを見るのと同じようにくつろげるものになった。いや、「同じように」ではない。テレビと違って話を聞いてやると喜んでくれるから、「それ以上に」だ。

思いやり深く彼女の話を聞いてやり、解決ばかり急がないこと――これを心得ていれば、彼女がより幸せになれるだけでなく男性自身もくつろげる。

一日働いた後でパートナーの不満を聞かされると、男はどうしても、彼女を幸せにするためにもっと協力しなければと思う。そこでいろいろ協力するわけだが、それでも彼女の不満は消えないので、「なんだ、これでもまだ不満なのか」とがっかりし、それからは協力しなくなってしまうという悪循環が起きるのだ。

この"前置き"があれば、男は女の話に耳を傾ける

女性が「しなければならないことが多すぎる」とこぼすと、男は自分が非難されたと勘違いして不満を抱く。だが、女性がたった一言「ただ私の話を聞いていてくれる?」と前置きしてくれるだけで、男は彼女の話を聞く態勢を整え、非難されていると思い込まずによい聞き手になれる。

私自身、時間をかけて、パートナーが私に求めているものは問題解決ではないことを、少しずつ学んできた。

新婚の一年目、ボニーは時々、用事が多すぎると訴えたり、仕事のグチをこぼしたりすることがあった。私はそのたびに話をしまいまで聞きもせずに、「仕事がイヤなら辞めたらどうだ。我慢してまで勤めることはない」と、自分ではまともと思える助言をした。

彼女がその他にも、こんなイヤなことがあったのよ、とグチをこぼすと、それに対しても私は、仕事を変えれば、などと返事していた。私が仕事を辞めた方がいい理由を指摘してみせると、彼女は自分の仕事を弁護し始める……。こんなことの繰り返し。しばらくすると話を聞く気もなくなってしまった。

「何かを変えようという気がないのなら、それについて文句を言うのはやめなさい」という考え方を私はしていたのだ。

彼女はそんな私が思いやりに欠け、一方的すぎると思っていたようだ。私たちは口喧嘩ばかりしていた。

そんなある日、彼女のこんな一言で、私たちの関係はすっかり変わってしまった。

「今日職場であったことを話してもいい？　でも、最初に断っておくけど、いまの仕事は大切だし、私辞める気はないのよ」

彼女はそう言ってからグチをこぼし始めたのだ。妻の話が途切れるたびに、そんな仕事辞めてしまえ、と言いたくて仕方がなかったが、彼女がすでに辞める気はないと言っている以上、それは言えない。何も言えずに、私はただじっと話を聞いていた。途中で口を挟んだり、問題解決に乗り出さずに。

しばらくすると、私は口も手も出さなかったのに、ボニーはすっかり満足していた。私の方も話を聞く準備ができる「一言」を彼女がはじめに言ってくれたおかげで、ずっと簡単に耳を傾けられた。

男と女は相補う関係にある。男はパートナーを大切にすることに生きがいを感じ、女は大切にされることでいきいきする。確かに女性もパートナーを大切にしたいと思っているが、基本的には「大切にされている実感」を求めている。

私は、「彼は私をまるで無視しているけれど、私はそれでも彼にいろいろしてあげるのが楽しいの」と言う女性にはこれまでお目にかかったことがない。男も、もちろんパートナーに大切にしてもらいたいのだが、まず自分の力でパートナーを「幸せにしてやっている実感」を持ちたいのだ。

＊〝女の試着型心理〟が男には理解できない

妻と連れだってショッピングに出かけた日のこと、彼女があれこれ服を選んでいるのを眺めているうちに、私と彼女では買い物の仕方がまるで違うことに、はたと気づいた。

私の場合は目的のものをさっと見つけて、金を払い、できるだけすばやく店を出ようとする。ちょうど、ハンターが獲物をしとめるとすぐに家路につくように。ところがボニーは、あれこれ試着するのが楽しくてしょうがない様子だ。

さんざん歩き回って、彼女がようやく気に入った店を見つけたので、私はやれやれと試着室のそばにあった椅子に腰をおろした。彼女は何着か素敵なのを見つけて夢中になっている。私は彼女がやっとお気に入りの服を見つけ、家に帰れると思い、ほっとした。ところが！

一着か二着を手早く選んで金を払うのだと思っていたら、どっこい、彼女は永遠とも思われる時間をかけて、片っ端から試着しては似合うかどうか試しているではないか。鏡に向かってポーズをつくっては、「これ、いいわね。でもねえ……どうかなあ、私に似合うかしら。色がいいわね。長さはぴったり」とやっている。

あれこれ悩んだあげく、「でも、やっぱり私には駄目ね」。片っ端から袖を通しては、この繰り返し。そうかと思えば、着てみる前から「これにするわ！」ときっぱり言ってみたり。

ところが、四十五分間もそうしていたのに、結局は何一つ買わなかったのだ。驚いたことに、妻にはがっかりした様子もない。あれだけの時間とエネルギーを「狩り」に費やしたあげく、何も買わずに家に戻ってきて、しかも平然としていられるなんて、私には、いや男にはまったく理解できない。

このショッピングのことを考えているうちに、女性にそんなつもりがなくても、気持ちを話していると男に非難がましく聞こえてしまうのは、どうやらこの辺に理由がありそうだ、と気がついた。

つまり、負担の多さを訴える女性は、ちょうど彼女がショッピングをするのと同じ要領でグチをこぼしている。どの気持ちが似合うかあれこれ試着しているだけなのだ。どれか一つの感情を長く「着て」みたり、試してみたりしても、それが実際に彼女に「ぴったり合う」感情とは言えない。

同じように、女性が自分の気持ちを話していても、それが彼女の本当の気持ちというわけではない。彼女は、自分に一番ぴったりくる感情を探している最中なのである。彼女が何か言ったからといって、それを実際に「買って」、家に持って帰り、ずっと着続けるとは限らない。

そこで私は、パートナーの言葉が非難がましく聞こえる時は、私たちはショッピングをしていて、彼女があれこれ試着し始めただけなのだと考えるようにした。一時間しないと店を出られないかもしれないが、その一時間が終わってみなければ、彼女が結局何を考えているかはわからないのである。

❋男が困惑する女特有の〝カメレオン的発言〟

女性が自分の気持ちを口にしている時、男がいっさい口を差し挟まなければ、わずかのうちに彼女の気持ちが百八十度変わることもある。

女性は一回の会話の中で、「あなたって自分のことしか頭にないのね」と言ったかと思えば、次の瞬間に「あなたってとても思いやりがあるのね、ほんとに助かるわ」と言ったりもする。

女性にとっては、この二つのセリフはまったく矛盾しない。しかし、男はこれを

「理屈が通っていない」「言っていることがコロコロ変わる」と受け止める。

女性は、もともと自由自在に気持ちを変える生き物である。だから男は、彼女の気持ちをどう変えたものかと、反撃の機会を油断なく見計らっている必要はない。ただリラックスしていればいいのだ。非難をやりすごすテクニックを知らないと、腹立ち紛れに反撃の言葉を口走ってしまったりして、それによってかえって女性は自由な気持ちを持てなくなり、意地を張って心を閉ざしてしまう。

感情的になっていたり、負担が多すぎると訴えたりする女性には、もっと話をさせてやり、感情を吐き出させてやるといい。男が話を聞いてあげればあげるほど、非難をやりすごせばやりすごすほど、女性は心ゆくまで聞いてもらえた、理解してもらえたと感じ、また彼を深く愛せるようになる。

女には「寒冷前線」が〝停滞〟する時がある

妻の方角から寒冷前線が近づいてくるのを感じると、以前の私なら、しばらく一人にしておけば、機嫌を直すだろうと考えたものだ。しかし、しばらく待っていると、大気はさらに冷ややかなものになり、しかもその冷気はこちらに向かって吹いてくる。

私は「どうして僕が非難されなければならないんだ」とぶつぶつ言い、内心では彼女に腹が立って仕方がなかった。そしてついには双方不満を抱えて、火花を散らし合った。しかし、女性をもっと理解するようになってからは、彼女が怒りを募らせ、よそよそしくなっていくのに知らんぷりしていることはなくなった。

なぜならこういう状況で女性を一人にしておくと、ますます険悪なムードになるらしい、ということがわかったからだ。ボニーには放っておいてという気持ちはまったくなかった。それどころかもっと話をしてほしい、気遣ってほしいと思っていた。〝寒冷前線〟が近づいてきた時も、私に怒っていることはほとんどなくて、ただ優しい気持ちを取り戻すために話をしたがっていたのだ。

しかし、私がそれに気づいて彼女に手を触れ、「どうしたの」と尋ねてやらないものだから、彼女はますますよそよそしく、冷たくなってしまったのだ。だから、はじめは私に対して怒っていたのではなかったにしても、すぐに矛先はこちらに向きを変えてしまうのだった。

いまでは、寒冷前線を感知すると、私はすぐに暖かいジャケットをはおって、嵐のただ中に飛び込んでいくようになった。そして彼女の体に手を置いて私から話を切り出す。そうすれば、彼女は優しい気持ちを取り戻せるのだ。

ボニーに手を触れてもまだ彼女がよそよそしい時は、「何か話したいことがあるんじゃないか?」という質問が一番効果的である。もし答えが「ないわ」なら、話すことはあるが彼女は話したくないのである。そんな時、私は、「どうしたのか、教えてよ」と彼女の怒りをかき立てないように用心しながら尋ねる。

彼女が一呼吸おいて、「話すことなんて大してないのよ」と返してきたら、たくさん話があるという意味である。私は非難をかわす準備を始める。

この場の目標は、彼女のために何かしてやれるまで、優しく、辛抱強くねばることだ。一度にあまりたくさんのことを聞き出さないようにしながら、一歩も引かないでねばり続ければ、彼女に感謝されるし、私が彼女のことを本当に気遣っているというメッセージが伝えられる。

女性は支えられているという安心感がないと、彼が気遣ってくれない、どうせ話をしたってわかってもらえないと思って話をしようとしないものだ。彼女がそんなふうになっていたら、優しく辛抱強くねばることによってしか、心を開いてやることはできない。

それを念頭に置いて、私は「何か僕が言ったこととか、したことで怒っているの?」と聞いてみる。

彼女が深くため息を漏らしたら、本当に話したくないというしるしである。私は「もしそうなら、ぜひ聞かせてほしい」と頼み、一息おいて、「もし君を傷つけたのなら、何がいけなかったのか知りたいんだ。もう二度としないために」と言う。

この時点で彼女も話す気持ちになっている。

「こないだ二人で話をしてた時に、電話がかかってきて、私の話の最中にあなた電話に出たでしょ。それで、電話が終わっても話を続けよう、と言ってくれなかったじゃない。ほんとに傷ついたわ」

「それは悪かった。僕が無神経だったよ」

衝動的に言い訳したくなったが、それは抑えて、彼女の肩に触れた。その時はもう拒まれなかった。

男にとって、腹を立てたりストレスをためたりせずに女性の話を聞く方法を学ぶのは、確かに難しいものだ。しかし、繰り返し練習していくうちに、第二の天性になるはずだ。

3章

「話を聞いてほしい気持ち」の上手な伝え方

……“男から大切にされる女性”はここに気づいている

この章は、希代の魔術師、フーディーニの話から進めたい。

フーディーニは脱出の名人で、鎖のかかった箱、金庫、牢獄から抜け出すワザで脚光を浴び、いかなるものからでも脱出してみせる、と豪語していた。じつは彼にはもう一つ得意ワザがあったのだが、こちらの方はあまり知られていない。

彼は「私を殴ってくれ、どんな大男のパンチでも受けて立つ。誰のコブシを受けても私は傷つかない」と公言していた。そして実際に何人に殴られても平気だった。

あるハロウィーンの晩、奇術ショーの幕間に若い大学生が楽屋に尋ねてきて、フーディーニに尋ねた。

「あなたが誰のパンチでも受けるというのは本当ですか？」

フーディーニが「ええ」と答える間もなく、つまり彼に身構える余裕すら与えずに学生は強烈なアッパーを打ち込んできた。そして、フーディーニはそれが原因であっけなく亡くなってしまったのである。

これは一つのたとえであるが、フーディーニのように、男は覚悟を決めて「身を引き締める余裕」さえ与えられれば、女性の言葉のパンチを受けても傷つかない。しかし、身構える間もなく非難されてしまったら、無防備な心はずたずたになってしまう。

男を傷つけないで話を聞いてもらう方法というのはいろいろあるが、その中からいくつかをこの章でお教えしたい。

これから述べるテクニックは、「ブティックに並んでいるいろいろな服」と考えてほしい。好きなものを選んで試着し、あなたの好みに合えば、それをパートナーに試してみて、彼も気に入るかどうか調べてみるといい。

いったんテクニックのコツが飲み込めたら、それが第二の天性になって、愛する人を支えられるようになるはずだ。そして、いずれはあらゆる人間関係に生かしていけるようになる。

❋〝男にも理解できる言葉〟で話すコツ

女性には、話を切り出す前にさりげなくパートナーにこうしてほしい、と伝えるテクニックをマスターしてほしい。自分がパートナーに何を望んでいるのか、男にも理解できる言葉で処方箋を示してやれば、彼もリラックスできるし、いったい彼女は何をしてもらいたいのかと頭を悩ませることもなくなる。

そもそも、女性は本能的に備えようとするものなのだ。

女性は、適切な環境の中で辛抱強く育ててやれば、どんなものでも成長していくという直感を持っている。「予防は治療に勝る」が女性の本能のモットーなのだ。

昔から女性はどんな服を着るか、どのように身を飾るかに大きな関心を示してきた。服を着る時には、その場や雰囲気にふさわしい自分が演出できるように細心の注意を払う。敏感な肌を整え、その場にふさわしい化粧をしたり、人目を引きつける飾りを身につけたりするのは、すべてこの「準備をする」本能の表われだ。

生物学的に見ても、女性は準備を必要とするようにつくられている。子供を産むために九カ月の準備をし、セックスを堪能するには十分な時間をかけて愛撫や刺激を受けなければいけない。

昔の女性は結婚に備えて処女を保ったものだ。セックスをして子供を産む前に、まずパートナーがその先ずっと責任を持って彼女を扶養してくれるかどうかを確かめるために。古代の女性は共同社会の中で自分のいいイメージを保つことで、夫が死んだ時の備え、すなわち生命保険にした。

このように女性はいつも何かに備えていて、もともと準備するのは得意なのである。そして、いまの女性がパートナーとの関係でストレスを抱えているのは、男に話を聞く「準備」をさせる方法がわからないことに原因の一つがあるのだ。

＊〝話を聞くモード〟に男を切り替えさせるには

「あなたはちっともわかってくれないのね」

　これは女性がパートナーに対して抱く一番ありふれた不満の一つである。耳にたこができるほどこの言葉を聞かされてきた男たちは、これを言われると、反射的に自己弁護を始める。

　と言うのも「男性言葉」では、この言葉は、

「どうしようもない人ね、あなたって。私を助けることもできないの」と聞こえるからだ。

　女性はじつに何気なくこの「あなたはちっともわかってくれないのね」というセリフを口にするが、この言葉のせいで、男性からのサポートを受けられないということに気づいているのだろうか。このセリフは非難がましく聞こえるだけでなく、男にとってはさっぱりわけがわからないのだ。

　何度もこのセリフを聞かされると、男は自分の解決策がバカげていて役に立たないと言われていると思い込み、侮辱された気持ちになる。しかし、彼女が言いたいのはそんなことではない。

「あなたはちっともわかってくれないのね」という言葉の本当の意味は、「いま私は解決策が欲しいのではないことを、あなたはわかってくれないのね」ということなのだ。

ところが、男はこれを彼女が解決策にケチをつけているのだと勘違いして、自分の解決策がどんなに優れているか説明を始めてしまう。彼女はただ話をしたいだけなのに。

それではどうしたらいいのだろう。まずちょっと立ち止まって、男がパートナーの言葉を理解しようと努力していることを思い出して、「ちょっと待って、もう一度同じことを別の言い方で言わせて」と言ってみるといい。

このセリフは、「あなたは私の言っていることがまだはっきりとわかっていないようね」という意味をきちんと伝えて、しかも、男性の耳には「あなたはちっともわかってくれないのね」という言葉と違って、非難がましく聞こえない。

だから、彼女の話を聞いて何を言いたいのか理解しようという気持ちになれる。非難されたり傷つけられたりする気持ちにならないから、彼女を支えてやろうという意欲が湧いてくる。

「ちょっと立ち止まって」、彼に話を聞いてもらう「心の準備」をさせれば、女性も彼の解決策に話の腰を折られることなく、話ができるようになる。

解決策は欲しくないことを早めにはっきりと伝えれば、男も「解決する」ことから「話を聞く」モードに頭を切り替えるのが楽になる。

具体的に言うと、二十分間も彼女の話をさんざん聞き、解決策を考えた後で、「じつは解決なんかいらないの」と言われたら、誰だってバカにされたと思い、腹が立つだろう。

以前、妻のボニーの話を十分ほど聞いた後で、私はだんだんがっくりしてきて、うなだれてしまったことがある。

その晩、帰宅した時はいい気分だったのに、彼女が自分の人生についてあれこれ十分間もグチるのを聞いているうちに、完全に負け犬の気分に陥ってしまったのだ。彼女が不満を抱えていることを、私の力ではどうにもしてやれないと感じ、すっかりまいってしまった。

そのうち、彼女は私ががっくりしているのに気づいて、こう言った。

「あなたのその様子、私のさっきまでの気持ちと同じよ」

私は彼女の気分が少しずつ晴れていたことなどまったく知らなかったので、驚いた。

「何だって？　さっきまでの君の気持ちというと、それじゃ、いまは違うの？」

「ええ。いまはもうだいぶ気が晴れたわ。あなたが落ち込んでるのは申し訳ないけど、私の方はもう大丈夫よ」

それを聞いたとたん、私もすっかり気が晴れた。

「君がすっきりしたって言うんなら、僕もそうさ。一瞬前には、どうやら今夜は二人にとって最低の晩になるんじゃないかと思っていたけどね」

こんなふうに「話を聞いてもらってほんとに助かったわ」という気持ちをボニーが私にちらっと示してくれたおかげで、私の気分も百八十度変わってしまった。

そして、次の機会に二人で話した時はずいぶん楽に話を聞けるようになっていた。二人で話をするたびに、彼女が幸せになるのを経験できたので、その次からは話を聞くのがずっと楽になったのである。

❋男を〝報われた気分〟にさせる一言

ある時、気持ちをぶちまけている最中にボニーはこう言ったことがある。

「あなたには耳の痛いことだとは思うけど、気持ちを吐き出してしまいたいの。実際は大したことじゃないけれど、大げさに聞こえるかもしれないわ。だけど、私の気持ちをあなたに知ってもらいたいのよ」

「実際は大したことじゃないんだけど、大げさに聞こえるかも知れないわ」とか、「ほんとは大したことじゃないの」というセリフは、男性にとっては非常に嬉しい言葉だ。男は女性に向かって決して、「そんなこと大したことじゃないよ」と言ってはならないが、女性は何でも話せる安心感があって、男がいたわってくれると感じると、素直に「こんなこと、ほんとは大したことじゃないんだけどね」と言うことができる。

女性の方から話を切り出すのであれば、次のように言えば、男は聞く準備を整えられる。

「いろんな感情が込み上げてくるの。それを話してもいいかしら。でもね、まず、ほんとは大したことじゃないのに、大げさに聞こえるかもしれないけど、覚悟してね。しばらく話をして、あなたの思いやりを感じたいのよ。あなたに何をしてくれと頼んでるわけじゃないの」

こんなふうに言われれば、男だって彼女をどのように支えてやれるだろうかと真剣に考えるようになる。

話をしようとしているのに彼が抵抗して聞いてくれそうになかったら、また別の言い方をすれば、彼は非難をやりすごす用意を整えてくれる。ある女性に聞いた話だが、彼女は夫にこう言うのだそうだ。

「聞いてくれてありがとう。私の言葉をじっとやりすごしてくれてほんとに感謝してるわ。つらかったでしょ」

これは一歩進んだ、すばらしいテクニックである。なぜなら、男は何か困難なことをしている自覚を持つと、その仕事に意欲が湧いてくるものだからだ。女性は彼が自分を愛してくれているなら、話を聞いてくれるのは当たり前、と思いがちだ。男にとって最愛の人から不満を聞かされることくらい、たまらないことはないということを理解していないからだ。

しかし、「愛があるなら話を聞いてくれるはずよ」という態度を女性がとれば、男は話を聞くのがつらくなる。しかし、女性がそのつらさを理解してくれたら、話を聞くためにいろいろ努力してみようか、という気持ちになる。

仕事の世界では、男は困難な仕事をやり遂げて、それ相応の見返りがもらえれば満足する。しかし、困難な仕事を要求されているのに、それに対して感謝もされなければ見返りももらえないとなると、軽んじられたと感じて、それ以上手を出さなくなる。

パートナーとの間でも、何か困難なことを要求されて努力したら、男はそれに感謝してもらいたいのだ。さもないと、「こんなことして何になる?」という気持ちになってしまう。

また、男性にとって耳の痛いことを言うのであれば、前もってそう言ってから話し始めるといい。

「あなたに話したいことがあるんだけど、どう話そうか迷ってるの。自分でもまだ気持ちがはっきりつかめてないのよ。あなたを非難したり、批判したりするつもりはないの。ただ、あなたに私の気持ちを聞いてもらえれば、支えられていると思えるのよ。時間があったら、聞いてくれる?」

こんな心遣いを見せられれば、男もずっと気楽に話が聞けるし、彼女が「女性言葉」で何を言おうとしているのか理解しようとする。彼女の言葉を「男性言葉」に誤訳して抗議する代わりに。

この〝適切なアプローチ法〟を使えば男を味方につけるのは簡単

娘のジュリーが十六歳の時に、一歩進んだコミュニケーション・テクニックを上手に使ったことがある。私はそれに非常に感激したものだ。家の簡単な改築をしている間、ボニーと私で三日間の休暇を取って旅行に出ることにした時のことだ。いろいろな事情でジュリーは私たちに同行しないと言ったが、さりとて改築中の家に一人で留守番をするのも気がすすまない様子だった。

娘は私にこう言った。

「いろいろあって旅行には行きたくないんだけど、私の話も聞いてくれる？　お父さんは自分の意見を変える必要はないわ。でも私の意見も考えに入れてほしいの」

娘は今回の改築が気に入らないこと、次に改築することがあったら自分も一緒に家を離れられる時にしてほしい、と心の中を話してくれた。話しているうちに彼女はだんだん感情的になったが、しまいには機嫌を直した。娘があらかじめ、「お父さんは意見を変える必要はないのよ」と一言言ってくれたおかげで、私は気楽に話を聞けた。

これは男性の驚くべきところなのだが、男は間違ったアプローチの仕方をされると、相手を受け入れまいと抵抗するばかりでなく、女性の感情や欲求をはねつけようとまでする。

しかし、これは裏返せば、適切な方法でアプローチされ心構えをする余裕が与えられれば、男はあらゆることに、はるかに思いやりが持てるようになるということだ。

男に心構えをさせる練習を積むほど、男も非難をやりすごすのがうまくなっていき、次にはもっとうまくできるようになる。

どんな新しいテクニックを身につける時にも言えることだが、簡単な問題から始めて、徐々に難問にぶつかっていくといい。まず女性が男性を手助けすることから始めれば、男もやりやすくなる。

たとえば、「あなたが……と思うのも無理ないわよね」と言ってみるといい。このセリフは男性にとても効き目がある。こう言われると男はたちまち冷静になる。男が話を聞いているうちに腹を立てるのは、自分が非難されていると思い込むのが大きな原因だ。

しかし、女性がこんなちょっとした一言をかけてくれれば、まるで違う。私の経験から言っても、ボニーが一言をかけてくれたおかげで、リラックスし、言い争ったりせずに彼女の話が聞けたことはたくさんある。

話をしている最中に私を傷つけていることを察すると、彼女はちょっと立ち止まってこう言うのだ。

「非難がましく聞こえるかもしれないわね。でもあなたを傷つけるつもりはないのよ。あなたを非難するなんてとんでもないことだもの。私はただこの気持ちを吐き出してしまいたいだけなの。私が一面的だってことはわかってるわ。でも、まず私に言わせて。後であなたの意見も聞くから」

しばらくすると彼女は、「あなたが……つもりで言ったんじゃないってことはよくわかったわ。私……だと思ったものだから誤解してたわ。あなたが冷静でいてくれたのがとても嬉しいわ」ともつけ加える。

彼女にそう言われると、私は自己弁護の言葉を口にする必要を感じなくて済む。ただ、「君が怒ったのもわかる。この問題について話し合えてよかったよ」と言ったものだ。感情的には、非難がましく聞こえる妻の言葉など聞きたくはないが、頭と心では、こんな会話をするのも二人の間の情熱を失わないために必要なのだと理解している。

〝男に効き目があるセリフ〟を覚えよう

さて、男に話を聞いてもらう心構えをしてもらう際に、一番効き目があって説得力のあるセリフは、「あなたは何も言わなくていいの」、これだ。このセリフに効き目があるのは、男性が自分を弁護する必要を感じなくて済むからだ。加えて、問題解決してもらわなくてもいいわ、ということを優しく思い出させてくれるからだ。

女性はふつう、このセリフが頭に浮かんでこないものだ。同性の話し相手に向かって、「あなたは何も言わなくていいのよ」と言うのは失礼に当たるからだ。女性が「女性言葉」で話している時は、昔から次は相手の話す番と決まっている。私があなたに向かって五分間しゃべったら、次はあなたが私に同じ時間話す番よ、という無言の了解がある。

しかし、男が相手だと違うのだ。

「あなたは何も言わなくてもいいのよ」と言うのは失礼でも何でもない。それどころか、彼はこの言葉を聞くとほっとする。「何も言わなくていい」というのは男にとって簡単にできる処方箋だからだ。

一方、男性の心を離すのに一番効き目があるのは「あなたは何も聞いてないのね」というセリフである。男はパートナーの話を何らかの方法できちんと聞いているか、少なくとも聞こうと努力しているので、女性にこれを言われると腹を立て、完全にそっぽを向いてしまうだろう。

このセリフは、男の耳には自分が一段低いところへおとしめられるような、命令されているような響きがある。女性がパートナーの母親になりたいとは思っていないように、男もパートナーに母親づらされるのはまっぴらだ。彼女はただ話を聞いてもらいたくてこのセリフを口走ってしまうのだが、男には非難がましく聞こえてしまう。

女性が「あなたは何も聞いていないのね」と言うのは、たいてい、男が彼女の話に集中していない時である。身を入れて聞いてほしいという気持ちから「あなたは何も聞いていないのね」と言っても、「あなたは身を入れて私の話を聞いてくれないのね」という本心は男には伝わらない。

男にとっては、この二つのセリフには雲泥の差がある。「あなたは身を入れて私の話を聞いてくれないのね」と言われると、そう言われればそうだ、と納得するだろう。しかし、「あなたは何も聞いていないのね」と言われると、ますます心が離れていってしまうのだ。

男があまり話を聞いていなかったり、注意散漫だったり、あさっての方を向いていたりすると、女性は「ちゃんと聞いてよ」というメッセージの代わりに声を張り上げる。これも、「あなたは何も聞いてないのね」という気持ちを伝えるまた別の方法である。

ところが、声を張り上げてもしょせん同じこと、男はますます聞く気をなくしてしまう。

相手を非難しても、いい結果は生まれない。しかし、ちょっと立ち止まって男に心構えをしてもらう方法を学べば、女性もすぐに話を聞いてもらえるようになるだろう。

❋男と女の間にも「北風と太陽の法則」が働いている

いいコミュニケーションを持つことは女性のライフラインとも言える。それがないと女性は優しい気持ちが持てなくなり、人が差し出してくれる助けの手を素直に受け取れなくなってしまう。

しかし、女性が男性を支える方法をマスターすることで、パートナーからのサポートも上手に受け取れるようになる。

たいていの男は、女性の気持ちを上手に聞き出す方法を知らないのだ。女性にはそこを理解してほしいと思う。これがわかれば、女性も忍耐強くなれるし、彼女を幸せにしてあげたいと努力している彼に感謝の気持ちを示せるようになる。

そして女性が男を支えてあげなければ、彼は彼女を上手に支えてやれないのだ。そのことを理解すれば、女性も相手に愛をせがんでいるような気持ちになることなく、自然に彼を支えようという気持ちになれると思う。

さて、これまで、いいコミュニケーションを持つことがどんなに大切かということを話してきた。しかし、男が一日の疲れを癒している時にあれこれ要求するのは禁物である。

話を聞くテクニックを十分に身につけていない男性に、仕事を終えた後であれこれ話をしようとしても抵抗されるだろうから得策ではない。たとえ彼に話を聞く気があったとしても、知らず知らずのうちに楽なテレビや雑誌の方に心が動いてしまうだろう。

こんな男の傾向を力ずくで何とかしようとしても無駄なことをしっかり覚えておこう。

❋〝過去を蒸し返す女性〟は損をしている

パートナーを持つ女性が私によく訴えてくる不満の一つが、「男の人はすぐ忘れる」というものである。一方、男性は、「パートナーが絶対何も忘れてくれない、いい加減にしてくれ」という不満をよく訴える。

男は結婚すると、パートナーを愛していても仕事に精力を注ぐようになるので、女性はないがしろにされていると思うようになる。女性は結婚すると安心して、いっそう気持ちを率直に表わすようになるが、男はそうした女性の欲求が本能的に理解できない。そして、自分が非難されていると思い込む。

男が彼女に見向きもしなかったり、結婚前にはしてくれていたことをしなくなったりすると、女性はもう愛されていないのかしら、と感じてしまう。女性には男が仕事にばかり夢中になることが理解できない。女性は愛する人がいたら、決して彼より仕事を優先したりはしないからだ。

一方、男は、女性が自分のミスを何から何まで覚えていることが理解できない。男は誰かを愛したら、二人の間にどんなことがあったとしても水に流そうと努力する。もう忘れたと思っていた問題を彼女に蒸し返されたら、男は自分が非難されたと感じるのだ。

男も過去にこだわり、忘れないことがある。しかし相手を愛していれば、自分の殻に閉じこもっている間に水に流そう、忘れようと努めるので、殻から出てくる頃には怒りを忘れてしまっている。だから、問題を許し、忘れるために気持ちを吐き出してしまわなければいけないという女性の心理が理解できない。

彼女がストレスや不満やグチを吐き出すと、男は、自分をもっと変えて彼女の期待に添えるよう努力しない限り、彼女は愛してくれないのだと思い込んでしまうのである。

❋これは〝愛情〟がなくなった証拠？

いつまでも過去のことを忘れない女性に対して男が対応に困っているように、女性も、忘れっぽかったり、やる気のなかったりする男には困っている。彼に見向きもされないとか、ないがしろにされたと感じた時、女性はよくこんなことを口にする。

◆「どうして彼って、いつまでもぐずぐずして用事を片づけようとしないのかしら。家に帰ってくると、することがたくさんあるのに、テレビばっかり見ているんだから。彼に用事を思い出させるのは、ほんとにうんざりだわ」

◆「彼は昇進してからというもの、私のことなんかちっとも構ってくれないの。最近、二人で外出したことがないことに、彼は気づいているかしら。人づきあいのことは全部私任せ。いっそ彼と立場を取り替えたいわ」

◆「あんなに忘れっぽいのに、どうして彼が仕事で成功しているのか、わけがわからないわ。ハイウエーを走っていると、出口をおりることも忘れてしまうのよ。帰りが遅くなったら必ず電話を入れてねって言ってるのに、いつも忘れるし。もう私のことなんかどうでもいいのかしら」

◆「私がどんなことをしても、彼は『ああ、それでいいよ』って調子なんです。私が話しかけても、意地悪しても、叫ぼうが何しようがまるきり無視。私が何をしても、彼は何もなかったように忘れてしまう。死人を相手にしてるみたい。思いきり怒鳴られる方が、こんな状態よりはるかにましだわ」

男がパートナーのために何かをし忘れると、女性は自分が忘れられているような気持ちになったり、自分がないがしろにされていると感じる。次から次へと用事を忘れる男性にがっかりさせられているうちに、女性は彼の愛そのものも信用できなくなってしまう。

特に、男は結婚すると多かれ少なかれ、仕事、すなわち彼女を扶養することに精力を傾けるようになる。彼が仕事に没頭して二人の関係を省みなくなると、女性はないがしろにされている、無視されている、愛されていない、という思いを抱くようになる。

しかし、まず、男が忘れっぽいのは自分に対する愛が足りないせいではないことを覚えておいてほしい。小さなことを忘れないようにすることがどんなに大切かわかってくれば、男も忘れなくなるはずだ。

このプロセスには時間がかかるが、女性も忘れっぽいのは自分のパートナーだけではないことを知ったら、彼が変わっていくのを辛抱強く見守っていけるのではないだろうか。

❋〝否定的なやり方〟で彼の気を引こうとしていないか

パートナーのいる男はたいてい、何の不満もないように見えるものだ。実際にまったくないわけではないが、万事うまくいっているように振る舞おうとする。一つ不満があるとすれば、パートナーがあまりにたくさん不満を抱えていることくらい。

男はいわゆる「楽観的な態勢」をとっていれば何とかなるさ、と信じているのだが、皮肉なことに、女性にとっては、この「楽観的な態勢」というのがカンにさわるのである。彼が問題なし、万事順調という態度だと、それについて何も言い出せなくなってしまう。これ以上要求するのは出すぎたことなのかしら、私が間違っているのかしら、と女性は悩んでしまうのだ。

女性はパートナーが積極的に自分の気持ちに関心を示してくれないと、否定的なやり方で彼の関心を引こうとしてしまう。何としてでもパートナーと話をしよう、注意を引きつけようとするあまり、言い争いさえ始めるようになる。

まずは一呼吸おいて、男に話を聞いてもらう準備をしてもらわないと、女性はどうしても相手を攻撃してしまいやすい。

セミナーに参加してくれた女性に、「この中の何人の方が、彼の注意を引くために彼をちょっと攻撃したり、不快な言葉を投げつけたりした経験がありますか?」と聞いてみた。この質問にほとんどの女性参加者が手をあげたと知ったら、男は驚くだろうか。

男が、二人の問題について何も言わないのは、相手に対する好意なのである。女性と同じように男性にも忘れられない過去はあるが、男は一人で耐えるか、脇へどけて忘れてしまう、という手をとる。彼女の前に自分の不満を持ち出したり、君は何か不満があるんだろうと指摘するのはいいことではない、と考えているのだ。

女性は話を聞いてもらいたいのだということがストレートに伝われば、男だっていい聞き手になれるし、二人のコミュニケーションが面白いようにスムーズにいくようになるだろう。

夫や恋人が無口だと、女性は彼の心を開かせようとするが、これは間違いである。

その逆をしなければいけない。つまり、女性が心を開けるように、彼に手助けをしてくれるよう働きかけるべきなのだ。

女性が心を閉ざし、「彼の方が先に心を開いてくれなきゃ駄目」とかたくなになっているうちは、いいコミュニケーションは望めない。

男を変えるのではなく、まず自分を変えること。彼が先に心を開いてくれれば、私も気持ちを打ち明けられるのに、などと思っていてはいけない。

よくあるこの問題を解決するには、女性の方から「話を聞いていたわってほしい、理解してほしい」と彼に働きかけることだ。無理やり彼の心を開かせるよりも、女性が一呼吸おいて彼に話を聞く準備をしてもらった方が、はるかに努力は報われる。

❋〝不意打ち〟されると男は必ず反撃してくる

男には意外な話かもしれないが、「しっぺ返し」の方法はマフィアとやり合うような時には効果があっても、男と女の間にはまったく通用しない。

男がパートナーに「不意打ち」を加えるのは、自分が傷を負わないようにするためである。パートナーが自分を攻撃していると察すると、男は相手にそっくり同じこととをお返ししようとする。彼はこう言いたいのだ。

「わかった。君はこのことで僕に我慢しているって言いたいんだな。そうか、でも僕はあのことで君に我慢しているんだぜ。二人とも同じようにイヤな思いをしているんだから、これでおあいこだ」あるいは、「このことで僕が間違っていると言うんなら、君だってあのことで間違ってるじゃないか。二人とも間違っているんだから、お互い忘れようよ」。

これを別のことに置き換えて考えよう。あなたと私がビジネス・パートナーだと仮定する。あなたが私のところへ来て、「自分は一万ドル損してしまったのに、お前は儲けている。おかしいじゃないか」と言ったとする。しかし私が、「じつは僕も一万ドル損したんだ」と言えば、それであなたと私はおあいこになる。二人とも満足し、公平だと感じる。

女性に文句を言われた時も、男は二人の点数をおあいこにしようとする。逆に相手をへこまそうとすることさえある。先ほどの例で言えばこんなふうに。

「へえ、君は一万ドル損したのか。じつは僕も一万ドル損したんだよ。それどころじゃない、その上五千ドルも損してるんだ。これでも僕は寛大だから、おあいこにしてやろう」

私がこうした「しっぺ返し」の方法は効果がないと言うと、はじめのうちは反発する男性もいる。彼女の攻撃から身を守ることもせずに、ただ話を聞いてるだけなんて、フェアじゃないと感じるからだ。

しかし、ひとたびこの問題を解決する方法を示されると、彼らも態度を和らげてくれる。

私も以前は他の男と同じように、妻に文句を言われたら言い返さなければフェアじゃない、と考えていた。ところがある日、文句を言われて言い返す、というパターンはひっくり返ってしまった。

❋〝優しい気分〟になりたいなら、男に「反論」させないこと

妻のボニーがいろいろなことに腹を立て、話を聞いてもらいたがった時のことだ。非難をやりすごそうとしながら、十五分ばかり彼女の話をじっと聞いていただろうか。私は彼女の言葉に何度も傷つけられながら、何とか怒りが爆発しないようにこらえていた。

しかし、その動機というのが不純だった。私は内心、いまは何も言うんじゃない、

黙って聞いてろ、そのうち言い返す番がくるから、と自分に言い聞かせていたのだ。

表面的には、私は言い争うことも口を差し挟むこともせず、彼女の話を黙って聞く模範的な夫をよそおい、カッとなる気持ちを抑えていた。もっと彼女の話を聞き出すために質問までした。

ボニーのぶちまける不満の一つひとつに、私は内心自分の不満を言い返していた。彼女が腹を立てている事柄の一つひとつに、そんなにガミガミ言わなくてもいいだろ、と私は心の中で反論していた。

彼女が「私がいつも……」とか、「あなたは決して……」などというフレーズを使うたびに、そんなことないだろ、と内心ではいちいち彼女の言葉を訂正していた。しかし、決して口には出さなかった。

私が自分を抑えていられたのは、いまに見ていろ、僕の番になったら君の間違いを全部正してやる、真実はこうだと言ってやる、と自分に言い聞かせていたからだ。

彼女がすっかりぶちまけてしまうと、私は、「言いたいことはそれだけか?」と聞いた。

「ええ」

ボニーは答えた。

そして、型通りに彼女に言った。

「君が怒っている理由はよくわかった、怒るのも当然だ。僕も話したいことが山ほどある。いま話してもいいかい？」

あきれたことに、彼女はこう言った。

「聞かれたから答えるけど、いまは駄目」

え？　僕の話は聞けないって!?　私は内心カーッとなった。彼女のは聞いてやったじゃないか！

すぐにも怒りは爆発しそうだった。私はかろうじて怒りをこらえながら聞いた。

「どうしていまは駄目なんだ？」

私は反論したくてうずうずしていた。

私はいまでもこの時の彼女の返事が忘れられない。彼女はこんなことを言った。

「いまあなたが話をすれば、私はあなたからのせっかくのプレゼントを取り上げられてしまったと感じるわ。あなたの気持ちを聞くよりも、いまはあなたに話を聞いてもらえたという優しい気持ちに包まれていたいの。あなたの愛のひだまりで。もちろんあなたの気持ちも私は大切に思ってるわ、でもそれは今度にして」

❋彼の〝愛のひだまり〟を実感してますか

私はすっかりめんくらってしまった。優しい気持ちに包まれていたいって何のことだ？　私の〝愛のひだまり〟って？

私自身は愛情深い気分ではなかった。それに、いったいプレゼントを取り上げられてしまうって何のことだ？　プレゼントを彼女にあげた覚えはない。彼女が不満を解消したなんてことがあり得るのだろうか？

確かに、話の最中に口を差し挟まなかったし、話を理解しようとしたことはした。しかし、愛情深い優しい気持ちだったわけではない。じつのところ怒りで爆発寸前だったし、彼女の間違いを直してやらなければとうずうずしていた。なぜ彼女は私が話を聞いていたことに感謝なんかできるんだろう？　どうしてプレゼントをもらったような気持ちになんかなれるんだ？

驚いたことに、あんなにふくれ上がっていた私の怒りも、彼女に「プレゼントをありがとう」と言われたとたんに、ほとんど嘘のように消えてしまった。

その時、目からウロコが落ちるように、私が彼女の間違いを直してやらなければと感じたのも、じつは彼女に拒絶されていると思い込んでいたからなのだ、ということがわかった。私は、彼女の間違いを訂正すれば問題は解決して、彼女も怒りが収まる、と思い込んでいた。彼女が私を理解してくれないから言い争うしかない、と感じていた。彼女の気持ちを何とか変えないと、怒りが収まらないのではないかと心配になっていたのだ。

彼女がまた私を見直してくれたので、私の本来の目的は達成された。そこに気づいたとたん、不満をあれこれ持ち出して彼女と言い争う意味はなくなってしまった。彼女のそばにいて話をじっと聞いてあげただけで、私は彼女の愛とサポートを手に入れた。

私はもうほとんど怒っていなかったが、自分の気持ちも彼女に話しておきたかった。

そこで聞いてみた。

「僕の気持ちはいつ聞いてくれる？」

「明日ね。それまでにはあなたの話を聞けるようになってるわ」

「ＯＫ」

それから十五分くらい、いま交わしたユニークな会話を一人で思い返していたら、ボニーがキッチンで嬉しそうに歌を口ずさんでいるのが聞こえた。彼女は本当に僕の愛のひだまりで優しい気持ちに包まれているようだった。とてもいたわられている気持ちがしたのだろう。

私自身はそう愛情深い気分ではなかったのに、私のしたことは彼女の支えになった。そして、私もサポートに感謝してもらったことで半分ほど怒りも消えてしまい、もっと愛情深い気持ちになれたのだ。

❋〝感情の湯気〟を逃がせば愛がよみがえる

ついさっきまで、あれほど人生に不満たらたらだったボニーが、次の瞬間、幸せいっぱいの様子をしているのは、何だか嘘みたいだった。文句を言っている間は、一生不満ばかり言い続けているんじゃないかと思えたくらいだったのに。二人の話が終わってから二十分くらいした頃、キッチンにいた彼女が私を呼び、「夕食のポテトをつぶしてくれない？」と言った。マッシュポテトは私の好物で、ボニーは機嫌のいい時によくつくってくれる。

優しいしぐさで、彼女は「あなたのプレゼントのお返しをしたいの」という気持ちを伝えてくれた。彼女が幸せそうに歌を口ずさむのを聞いていると、私も何だか気分がよくなった。彼女の言葉に叩きのめされたのではなく、自分でよくやったと思えてきたのだ。

彼女の温かい感謝と愛情に包まれているうちに、とげとげしていた気持ちがなごんできた。これは、私にとって初めての経験だった。

僕の方が正しいと主張しなくても妻の愛を感じることができたのだ。自分の弁護なんかしなくてもいい。私が話を聞くだけで、彼女は自分の気持ちを見つめ、気持ちを切り替え、自分の間違いを直すことができるのだ。

なにも私がそれは違うよ、などと言わなくてもいいのだ。彼女が感情を整理するのを邪魔しなければ、彼女は自分で人生を前向きに考え、私のいいところをまた思い出してくれる。

次の日に、「あなたの気持ちを聞く番ね。いまいいかしら?」と彼女に言われた時、嘘みたいに用意していた不満をすっかり忘れてしまっていて、ほとんど何も言うことがなかった。彼女の感謝が感じられれば、昨日爆発しそうになっていた怒りなんて大したことではなかったのだ。

私は落ち着いて話をし、彼女もじっくり聞いてくれた。

その日以来、ボニーが腹を立てても私は前より上手に非難をやりすごせるようになり、前よりずっと簡単に怒りを抑えていられるようになった。

「そのうち僕の番になったら言い返してやる」と心の中で言う代わりに、いまは、「すぐに彼女は僕に感謝してくれる。話を聞いてくれて本当に優しい人ね、と言ってくれる。僕の愛情に包まれ、僕を愛していることを思い出す。今夜は忘れられない夜になるぞ」と自分に言い聞かせる。

感情を吐き出した女性には、冷静になって自分の発言を振り返る時間、そう、十五分くらいの時間が必要だ。

ある意味でこれは、女性が自分の殻に引きこもる時間と言ってもいい。相手を間違って非難したり攻撃したりしたことを反省するチャンスだ。この短い反省時間に彼女は男性がくれたプレゼントに感謝し始める。

私がこの話をしたら、ある女性は、この時間をラザニアを焼くことにたとえた。ラザニアはオーブンから出した後に、しばらく湯気を逃がしてやって様子を見ないと、熱くて食べられない。

男性がいくら彼女のために適切なことをしてやり、話を聞いてあげたとしても、彼女が熱々の感情から湯気を逃がし、様子を見る余裕がなければ、彼女は不満を吐き出して、彼に聞いてくれたことを感謝する時間を失ってしまうことになる。

❋男と女には〝やじろべえの原則〟が働いている

男が女性の頼みを忘れてしまうのは、それを聞いた時に別のことに気を取られているからだ。

たとえば、ボニーにビデオをレンタル屋に返してきて、と頼まれたとしよう。私はその頼みをちゃんと聞いているが、仕事の考え事をしていたりすると、つい返し忘れてしまう。男は、自分の仕事のリスト上で優先順位の上位にこない用事を頼まれると、忘れてしまうことが多いからだ。

仕事帰りにクリーニング屋に寄ってきてね、と頼まれても、クリーニングは彼の本能に組み込まれていないので、きれいさっぱり忘れてしまったりする。包丁を研いで、という頼みの方が男性は忘れにくい。包丁を研いだり、重たい箱を運んだり、火を消したり（つまり非常時に対処する）するのは勇気と体力、つまり男が自分の領分だと考える仕事である。

彼女の頼みが彼のリストの上位にきたとしても、その時にもっと緊急性があって彼の本能を刺激する仕事があったら、彼はその頼み事を忘れてしまう可能性がある。忘れる忘れないは本能的なものだ。なにも、「ああ忙しい、なんて忙しい日なんだ、仕事帰りに牛乳を買うのを忘れてやろう」などと考えるわけではない。男は一つのことにのめり込むと、他はおろそかになってしまうだけの話だ。

女性にはこんなことはない。女性は仕事で重要なプロジェクトに没頭していたとしても、家庭ではどんな細かいことも忘れないものだ。女性はストレスがたまればたまるほど、些細なことが頭を離れなくなる。ところが、あまりにも多くのことを覚えているので、時に肝心なことをポカリと忘れることがある。

要は女性は一度にたくさんのことを考え、男は一つのことに集中する。

男と女の間には、「女性が日常のことを何から何まで覚えているほど、男は忘れっぽくなる」という法則が成り立つ。この法則は女性が母親づらをしてパートナーを子供扱いするほど、いろいろな方面にまで及ぶようになる。

たとえば、彼のすべきことまで女性がいちいち覚えていると、男はそれを忘れるようになる。彼女が経済的なことばかり心配すると、男はその反対にぱっぱと使うようになる。何事も、彼女が気にすればするほど、彼は忘れることによって、お互いに補い合う二人のバランスを保とうとする。

夫がいつも鍵をどこかに置き忘れ、そのたびに妻に置き場所を教えてもらっていると、そのうち鍵のことは彼女に任せておけばいいや、という気持ちになっていくものだ。

私はなにも男性が忘れっぽいのは女性のせいだ、と言いたいのではない。女性しだいで、男は忘れもするし、忘れないこともある。つまり女性の影響が大きいと言いたいのだ。自分の影響力の大きさがわかれば、女性も忘れっぽい男が忘れないように、手助けする方法を学べるだろう。

❋こんな一言を男は「子供扱いされた」と思う

女性は男に頼み事を忘れられると傷つく。頼み事を軽く扱われると、自分自身が軽んじられているような気がするからだ。

男がしてくれなかったことをもう一度頼み直すのは、女性にとって屈辱的だ。この屈辱感は、ちょうど男が彼女の頼み事を忘れて、「なぜ忘れたの！」と怒られた時に感じる、「子供扱いされた」という気持ちによく似ている。

そんな時、男は彼女の攻撃をやりすごす必要があるが、女性も、ちょっと立ち止まって、相手に心の準備をさせ、辛抱強くねばることだ。女性が男に手を差し伸べれば、男は彼女に愛されている実感が持てるだけでなく、彼女の方も彼の愛が実感できる。これが男女のつきあいの驚くべきところだ。

男が忘れっぽくても、女性はすぐに諦めて自分でそれを片づけるのではなく、まずちょっと立ち止まるべきである。そして、「次の機会にお願いね」と言えば、愛を優しく伝えられて、しかも彼にもう一度チャンスを与えられる。

すぐに諦めてしまわずにこのアプローチを辛抱強く使っていけば、してほしいことを彼にしてもらえるようになる。いったん男がパートナーに感謝される喜びを味わえるようになれば、頼まれなくてもそれをし忘れなくなる。男が彼女の頼みを受け入れるようになれば、二人の愛も密になって万事まるく収まる。

このアプローチをねばり強く使い続けなさい、と私が言うと、最初のうち女性の中にはそれではまるで彼をなじっているようだわ、と慌ててしまう人もいる。ところが、私が提案しているのはまったく逆のことなのだ。彼にチャンスを与えるのと、彼をなじるのとでは大違いだ。

なじるというのは、あなたってほんとに忘れっぽいのね、といつまでもぐじぐじ文句を言うことである。女性は彼をなじりたくなるたびに、大切な頼み事だったことを彼に思い知らせようとして、不満をさらに募らせる。女性は激しく怒れば次には必ずしてもらえると思い込んでいるが、これは大きな間違いである。実際にはまったく逆のことが起こる。

「彼は私が怒ったことをずっと忘れないはずだわ」と女性は思う。彼女に対して彼が真剣に腹を立てたら、彼女の記憶に焼きついていつまでも忘れられないからだ。彼が何かに腹を立てたことを、女性は決して忘れないらしい。

この点で男は女性とはまるで異なる。男はストレスに対処するためにうまく問題を解決するか、忘れてしまうかする。だから、パートナーが何ともしようがない過去の問題を蒸し返してなじったりすると、彼はストレスをため込まないように彼女の攻撃を忘れてしまおうとする。

基本的に男が覚えていられるのは、前向きの言葉だ。優しい、信頼に満ちた調子で頼まれれば、男は忘れない。しかし、否定的な言葉ばかり投げつけられたら、耳をふさいで聞こうとしなくなる。パートナーが腹を立てれば立てるほど、男は大事な頼まれ事を忘れる。

男が彼女の口から聞きたがっているのは、「また私の頼んだことを忘れたんでしょ。でもいいのよ、これから忘れないようにしてね」という言葉なのだ。

4章

二人の愛をさらに深める魔法のルール

……パートナーに“新鮮な刺激”をプレゼントしよう!

「昔の彼はどこに行ってしまったのかしら」と女性は悩むことがある。同時に男も昔愛した彼女はどこに消えてしまったんだろうと感じている。これは気の滅入る疑問だが、この疑問に対する答えは決して気の滅入るものではない。

彼女が愛した男性はまだそこにいる。昔と変わらない愛が彼の心の中で、彼女の助けを得て引き出されるのを待っている。彼の愛した女性もまだそこにいる。彼の手助けがあれば、彼女はまた心を開き、女らしい愛が輝き出すはずだ。

❋なぜ男は〝別人〟になってしまうのか

多くの女性たちが、「パートナーが長いつきあいや結婚生活の間に変わってしまった」とカウンセリングやセミナーで口々に訴えてくる。相手を愛していても、男と女のいい人間関係を築くテクニックを知らなければロマンチックな感情は消え、つきあい始めた頃の愛情は決して取り戻せないと諦めてしまうこともある。

よく聞かれる不満のいくつかをあげてみよう。

「彼はもう以前のように私に愛情を示してくれない」

「昔はデートの計画を事前に立ててくれたのに、いまは全然気をつかってくれない」
「最近、二人の間の会話が全くなくなってしまった」
「結婚する前は、彼は自分のことは自分でしていたのに、いまでは私が世話をして歩いている」

こんな不満を持った女性は、彼の愛が消えてしまったと思い込み、自分も彼を愛するのをやめてしまうことが多い。その結果、「本当に」彼の愛が消えていき、もっと深刻な事態になるのだ。

こんな悲劇が起こってしまうのも、「男は変わるものだ」ということを女性が理解していないからであり、また、求めているサポートを得る方法を知らないからである。

しかし、これから述べていくテクニックを賢く生かしていけば二人の関係もあっと言う間に変わっていくだろう。

出会いから結婚まで――男の〝愛の表現法〟はこう変わる

先ほど男の態度が様々に変わっていく例をあげた。しかし、女性には驚きかもしれないが、こんな態度をとるようになった男は、それでも彼女を深く愛しているのだ。

しかも、昔よりもずっと深く彼女を愛していることさえある。しかし、女性は自分の目から見て一番欲しいものがだんだん得られなくなっていくので、男の態度の変化を誤解してしまうのだ。

男は女性が思っているほど悪気があって変わるわけではない。基本的には、女性が二人の関係に何を求めているかを知らないために変わっていく。

男は二人の関係においても、女性よりもずっと目標達成志向の態度をとる。二人が初めて出会った頃に男がとる行動というのは、一つひとつが彼の目的を達するためのステップなのである。

つきあい始めた頃、男は優しく彼女の手に触れたり、花をプレゼントしたり、仕事先から電話を入れたり、デートの計画を立てたり、彼女が話しているのをじっと見つめたり、彼女の美しさに敏感に気づいたり、話を注意深く聞いたり――じつにいろいろなやり方で「愛している」という気持ちを伝える行動をとる。

はっきり言えば、彼は狩りをしているのだ。目標は将来のパートナーとして選んだ女性と親密な関係を築くこと。全神経はその一点に絞られている。ところが、いったんその目標を達成してしまえば、彼のハンターとしての本能は消える。

そして結婚した後は、花をプレゼントする代わりに給料を彼女に渡し、仕事先から電話を入れる代わりに、毎日家に帰るようになる。デートの段取りをする代わりに、彼女との人生を計画するようになる。愛情を示す代わりにセックスする。話をただ聞いたり、じっと見つめたりする代わりに、彼女の問題に責任を感じて問題解決をするようになる。

また、ちょっとしたロマンチックなことをするのに時間をかけずに、彼女が欲しがるものは何でも買ってあげられるよう、一生懸命稼ぐことに時間をかけるようになる。きれいだよとか愛してると言う代わりに、結婚指輪をはめる。それが彼の代わりに愛の言葉を伝えていると考えているのだ。

初めて出会った頃に彼の示した愛の行動は、結婚した後の二人の関係にも必要だということを、彼は知らない。女性の愛を勝ち取るためにしたいろいろなことが、結婚後も彼女を幸せにしていく上で欠かせないものであるということが、彼にはわかっていないのだ。

男性はいったん目標を達成してしまうと、そこにたどり着くまでにしてきたことは繰り返さない。代わりに、達成した目標を失わないことに精力を傾けるようになるのだ。男性は、階段の一番上まで上り詰めるためなら、何でもする。長い行列に並ぶことも、使い走りをするのも、注文を取るのも、残業するのも、いつの日か成功して、もうそんなことをする必要がなくなるとわかっていれば、何のその、へっちゃらでやってのける。

仕事の上で男が階段を上がっていく、つまりキャリアを積んでいくにしたがって、彼が努力して勝ち得た信用と信頼に釣り合った新しい仕事が任され、責任も増してくる。そこへたどり着くまでにしてきたことを、彼はもう省みなくなる。すでに下積み期間は終わっているからだ。一生懸命に働き続けはするが、彼がしなければいけないことはすっかり変わっている。

女性との結婚前のつきあいの時期というのは、ある意味で男が新米として仕事のキャリアを積んでいくのと似ているところがあり、彼の下積み期間なのである。だから、結婚前にしていたことを女性から求められると、「階段の下からもう一度上り直してほしい」と言われているように感じるのだ。

男は会社のトップに上り詰めても、家に帰れば妻にまた階段の一段目からやり直してほしいと要求されることがある。結婚した後も彼女は愛情を欲しがっていることを理解しなければ、梯子《はしご》を足元からはずされたような気分を味わうことになる。

女性は男がちょっとした愛の行動をしなくなってしまったとしても、まったく悪気はないのだということをわかってやらなければいけない。さもないと、彼を信頼し続けることはできないだろう。

では次から、「変わってしまった男」への対処法をさらに詳しく見ていくことにしよう。

“抱きしめてほしい気持ち”の伝え方

つきあい始めた頃、ビルはジェーンにとても優しかった。人目のあるところでも彼女の手を握ったり、髪をなでたり、抱きしめたり、一緒に歩く時は腕を組んでくれた。いつでも彼女のどこかに手を触れていて、それがジェーンにはとても心地よかったのである。

ところがいったん体の関係ができたら、ビルはがらりと変わってしまった。しばらくすると、彼は体を求める時だけ彼女に触れるようになった。ビルにはジェーンが優しさを求めていることが本能的に理解できなかった。彼にとって誰かに触れることは、セックスの関係になる以前にする行為なので、いつまでも手を握ったりするのは、ある意味でつきあい始めた頃に戻るのと同じことなのだ。

体の関係ができる前に、彼がジェーンにいつも手を触れていたのは、まだ体を許してもらえなかったからだ。女性とつきあう時、男はかなり自分の欲望を抑えなければならない。女性の手や髪や腕に触れることは許してもらえるが、一番触れたいところには触れられないからだ。

♥〝女の欲求〟と〝男の愛撫〟がすれ違う理由

いったん体を許してもらえるようになると、男はそれ以前の状態にはなかなか戻れない。そして、セックスの愛撫を楽しむようになると、それに比べてそれまでの軽い接触は急に色あせて見えるようになる。

体の関係ができると、彼は本能的に体を求める前にしか彼女に触れなくなる。セックスができそうもない時は彼女に触れない。触れた後で拒否されたら、ストレスになるからだ。

ないがしろにされている、と女性が悲しむのが、男にはなかなか理解できない。自分はまったく変わっていない、いまでも彼女を愛している、という気でいるからだ。彼女が「私たち変わったわね」と訴えても、彼には何のことだかわからない。「あなたは体を求める時だけ私に触れるのね」と女性が怒っても、彼はなぜそんなに怒られなければいけないのかと当惑する。

女性が優しく触れていてほしいと思っている時に、男はそれを誘いだと誤解することがある。男にとって体に触れることはセックスを意味するからだ。女性がベッドの中で寄り添ってきたら、男は誘われていると思い込む。しばらくすると女性は彼に寄り添っていたい気持ちを諦めるようになる。彼に意味を誤解されるからだ。

女性はただ相手に優しく触れられるのがとても好きなのだが、男はこれが理解できない。思春期が終わる頃から、男は女性よりもはるかに性的な関心が高くなる。若い男性にとっては性交ができそうな場と機会に恵まれるだけで、大変な刺激なのだ。これは男の生理とホルモンがそうさせるのである。

男の子も女の子も、年頃になるまでは優しく触れられたり、抱きしめてもらいたがったりするものだ。しかし、男の子が思春期に入ると、この欲求はがらりと変わる。十三歳頃になると、男の子はテストステロンという男性ホルモンが急激に増え、抱きしめてもらいたい欲求は減っていく。この時期を境にして、性的ではないふれ合いよりも、断然、性的な接触を求めるようになる。

一方、女の子の抱きしめてもらいたいという欲求は、その後も消えずに一生強く残っていく。これはなかなか証明できないことだが、多くの専門家が女性は自分に自信を持つために、一日十回は誰かに優しく触れてもらう必要があると言っている。また女性の肌は男より十倍も敏感だということが、研究から明らかになっている。たぶん、十倍敏感な肌を持っているために、女性はセックスを前提にしないで優しく触れてもらう必要があるのだろう。

このように男女に違いがあることがわかれば、男もなぜ彼女がもっと触れてもらいたがるのか、なぜセックスだけでは満たされないのか、納得がいくと思う。

こうした説明を私がビルにすると、彼はすっかり納得した。そして、それからは一日に何度もジェーンに触れるようになった。彼女はビルが優しくしてくれるたびに嬉しさを彼に伝えて彼を支えた。小さく満足そうにため息を漏らしたり、彼の腕の中でほっとしたりすることで、彼女は感謝を示した。

彼が触れるのを忘れた時は、彼女が彼の腕をなでるという押しつけがましくない方法で彼に思い出させるように約束した。そして、そのうちに彼女の方から思い出させなくても、彼は自分から触れてくるようになったのである。

〝デートの段取り〟が苦手な男の心理

ジュディは、つきあっていた頃はジムがデートのお膳立てをしてくれたのに、結婚してからはしだいにそれをさぼるようになった、と嘆いていた。

これはよく見られる変化だが、その理由は簡単に説明できる。つきあい始めた当初は、彼女を誰か他の男が誘い出してしまわないうちに約束をとりつけなければならなかったから。

男は、デートのお膳立てをすることが女性にとってそんなに大切だとは思っていない。彼は単に彼女の時間を予約するためにそうしていたのだ。

いったん一つ屋根の下で暮らし始めたら、計画を立てる必要はまったくないと男は考える。それに対してジュディは、彼がもうデートの計画を立ててくれないことに失望し、もう愛されていないと思い込んでしまう。

ジュディがジムとこれについて話をしたところ、彼女が腹を立てていることは、彼にとって寝耳に水だったようだ。「今度のデートは何をしたい？」と聞くことで、彼女の意向を大切にしてきたつもりだったそうだ。

ジュディが、「じゃあ、あなたは何がしたいの？」と聞き返すと、ジムは押しつけがましくないように、「行き先はどこでもいいよ。君の行きたいところでいい」と答えていた。

こんなふうに受け身になるのもたまにはいいだろうが、いつもとなると、言われた方は張り合いがない。君のことなんかもうどうでもいい、と言われているような気持ちになってしまうのだ。

こちらの意向を気にしてくれるのはありがたいが、ジュディはなにも一人でデートを仕切りたいわけではない。彼女は少なくとも二回に一回は彼にイニシアチブをとってもらい、デートのお膳立てをしてもらいたいと思っていた。

ジムは徐々に態度を変えていったが、当初はデートの行き先なんかどこでもいいやという気持ちだった。しかし、デートの段取りをして彼女に喜んでもらううちに、率先して計画するようになった。

ジュディはジムとのデートのことで悩む必要がなくなってから、リラックスできるようになったと喜んでいた。そして、ジムはジュディの助けを得て、すんなりと変わることができた。二人の状況を理解しただけで、彼はやる気を出した。

たとえば、「あそこの劇場に新しい芝居がかかっているんですって。すごい評判よ」とジュディが言う。こう言われると彼もピンときて、「ふうん、芝居に行くのも面白いかもね。行ってみるかい?」と彼女に尋ねられるようになった。

ジムもジュディも、私がセミナーで話した、ボニーの支えを得て私が彼女を支えられたという話に触発され、二人の関係をさらに前向きに変えていけたのだ。

❋女の〝空腹〟と〝イライラ〟には密接な関係がある?

仕事でストックホルムを訪れていた時のこと、妻のボニーと娘のローレン、私の三人で市街の古い町並みを見物しに出かけた。私は自分の目標達成志向にせかされるように、その日のうちにできるだけたくさんの名所を見ておこうと張りきっていた。

昼頃になってボニーが、「ねえ、お腹が空いてきちゃったわ。どこかでお昼を食べましょうよ」と言い出した。

私はすぐに、「そうだな。レストランを探そう。どれくらい大丈夫そうだい、すぐ食べなきゃ駄目か、五分や十分待てるかい?」と言った。

「五分は大丈夫」とボニーが何気なく言う。

私の経験から言えば、女性がお腹が空いたと言ったら、ただちにしていることをすべてストップして、とにかく彼女に何か食べさせてやらなければいけない。血糖値が低下した女性とはなるべく一緒にいない方がいい。だから、ボニーがお腹が空いたと言ったら、私はすぐに姿勢を正して「了解」と言う。

その日も彼女が食事のことを言い出したとたん、私の頭で非常警報が鳴り出した。

私はすぐさまレストランを探し始めた。

男も女性の血糖値が下がった状態を経験してみなければ、女性の空腹とイライラの密接な関連が理解できないかもしれない。私は個人的には、何か目的を追いかけている時には、食べ物のことなど忘れてしまう。しかし、女性のボニーはそうではないことを知っているので、急いで彼女の空腹を癒してやろうとする。

ボニーが食事のことを言い出すまで、私は大聖堂にばかり目を奪われていたので、レストランは一軒も目に入っていなかった。そこで、にわかにきょろきょろ辺りを見回して、「あの店、よさそうだよ」と中庭の向こうの一軒を指さした。

「あそこにするかい?」

彼女はじっと見て、「そうね。でも、どうかなあ」と言った。

もう一軒、通りの向こうにレストランが見えた。

「あれもよさそうだ。こっちのより雰囲気がいいよ」

「ほんとね」

そう言ってすぐ、彼女が、「あら、あの店はどう? とっても感じがいいわ」と叫んだ。

その声からその店に行きたいのだな、とわかったので、私はすかさず「確かにいい感じだ。あの店にしよう」と言った。

レストランに着いた私たちは、二人とも満足していた。ボニーは自分の意見を聞いてもらった、思いやりを示してもらったと満足し、私も彼女の面倒を見てやれたことに満足していた。

すばらしい気分はその後も続いた。食事に満足した彼女は、私を頼もしいと思ってくれた。このようなとても簡単な方法で二人は満足できるし、ロマンスも長続きするのだ。ボニーが「素敵なお店に連れてきてくれてありがとう」と言ってくれたので、私も自分が誇らしくなった。

どのレストランで食事をするか、などということはちっぽけな問題のようだが、このようなすばらしい体験をすることが、じつは男が二人の関係に積極的に関わり、女性を満足させ、いたわってやれることにつながっていくのである。二人の思い出になるようなすばらしい時間をつくることで、彼女は私に、これからも何か決める時は彼女と一緒に決めていこうという気持ちにさせてくれた。

二人が仲よく小さなことを決められれば、大きな決断もスムーズにいくものである。二人が「大問題」を抱え込んでいるとしたら、それは二人で小さなことを仲よく決めてこなかった結果なのだ。

女性の心を満たすためには、男はもっと協力的になる必要がある。何かを決める時、女性は全部自分に任されることも、まるでカヤの外に置かれることも望んでいない。彼女はパートナーにも決定に加わってほしいと思っている。

彼女の提案を無視した形で彼に勝手に決められるのも、彼女がたった一人で何もかも決めるのもイヤなのだ。

❋男を〝積極的な気持ち〟にさせるテクニック

子供の頃、母は私があれこれいろいろなことを話すのを飽きずに聞いてくれたものだ。私は母に間違いを訂正されたり、そんなの当たり前でしょ、と言われたりしたことがない。母は私の話をじっと辛抱強く聞いてくれた。幼い未熟な考えでも心からほめてくれた。これで私は自信を培うことができた。

その時の支えがベースになって、私は十八の時に最初の講演をした。そんな若造が講演するなんて、大それたチャレンジである。私は童顔なので、子供のように幼かったのだが、聴衆は当然、講師はもっと年がいって人生の経験を積んでいるはずだと思っている。だから私が話し始めても、父親の講演についてきた子供かな、と思われたようだ。

その時の私の講演は、初めて商業的に宣伝をして人を集めた講演で、テーマは心の可能性を最大限に高めるというものだったが、私は緊張のあまり、講演の最中になんと失神してしまった。

そんな私も少しずつ恐怖を克服していって、何千人もの聴衆に向かって話をすることができるようになった。大勢の前で話をする勇気が持てるのも、昔、母が私を信じて支えてくれたからに違いない。母が無条件に私を受け入れ、励ましてくれたから、私はあくまで自分を信じて、童顔の弱味を乗り越えられたのだ。

これはカップルの関係においても言えることである。男も新しいテクニックを使ってうまくやったぞ、という実感が持てれば、また学び続けてもっと彼女に与えようという意欲が湧いてくる。

女性が男を励ますテクニックを学ばなければ、男も彼女を満たしてやりたいとか、彼女の求めているものを叶えてやりたいという気持ちをなくしてしまう。

女性が上手に男を励ます方法を知らないと、男は「僕が何を提案しても、何にもならない。もうどうでもいいや」とか、「彼女と僕が二人とも欲しいものを得るのは無理らしい。彼女を幸せにしてやるために、僕は自分のことは諦めて、彼女の欲しいものを与えてやろう」と考える。

レストランの例では、ボニーは私にうまくやったぞという実感を持たせてくれた。ボニーが前もってお腹が空いたわと私に知らせてくれたので、いいレストランを選ぶのは簡単だった。

そして、食事をしている間も私は積極的な気持ちでいられた。つまり、愛する家族に特別なごちそうを提供しているような気分だったのである。食べ終わると、ボニーとローレンはごちそうさま、と言ってくれた。ボニーは世話を焼いてもらって幸せそうだったし、私も感謝されて誇らしかった。

❋〝ちょっとしたトラブル〟を深刻化させないために

男性を上手に励ますテクニックを学んでいない女性は、ごく限定された行動しかとることができない。たぶん、次にあげるよく見られる四つの行動の中のどれかを示すだろう。

1　問題について話す

2 問題について自分の気持ちを話す
3 自力で問題を解決しようとする
4 彼が問題解決してくれるのをじっと待っている

男に対してこれらの行動をとると、大変まずい結果を招くことになるのだが、女性は本能的にそれが理解できない。

それでは、この四つの態度についてもっと詳しく見ていくことにしよう。

1 問題について話す

女性はたいてい声を荒らげて男性の注意を引き、問題の重大性を伝えようとするが、これは間違いである。このテクニックはペットや子供に対しては有効だが、パートナーに使ってはいけない。

これをすると、彼はかえって「何だ、そんなの大したことじゃないよ」という態度に出るだろう。

◎絶対口にしてはならないセリフ

◆「私たち、一日中歩き通しで、何も食べてないじゃない」

◆「こんなに歩き回って、お腹が減ってしょうがないわ。まだ歩くつもり？」

◆「旅行にきたからって、ただ観光名所を歩き回ればいいってもんじゃないのよ。何か食べなきゃつまらないわ」

◆「この大聖堂は確かに見事よ、でも、何か食べないともう一歩も歩けないわ」

◆「どこかで休みましょうよ、でないと倒れちゃうわ。一日中何も食べてないんだから。とにかく休ませてよ」

◆「あなたって思いやりがまったくないのね。どこかで休んで、何か食べなきゃどうしようもないわ」

◆「もう我慢できない！　いい加減に歩くのはやめてレストランを探しましょうよ」

◎気分を盛り上げるセリフ

◆「ああ、何か食べたいわね。レストラン探しましょ」

◆「スープとサラダの気分！　ここら辺のレストランはきっとおいしいわよ」

◆「レストランがたくさんあるわねえ。何か食べたくなってきちゃったわ」

◆「とっても楽しい旅行ね。ねえ、この辺りのレストラン試してみない」
◆「あと五分したら血糖値が下がっちゃいそうだわ。レストラン探しましょ」
◆「ほんとに楽しいわね。レストラン探しましょうよ。私、お腹ぺこぺこよ」
◆「あら、楽しいと時間ってあっという間にたつわね。もう一時。レストラン見つけて何か食べましょう」

これなら、男は自分の行動に感謝されたと感じ、非難された気分にならずに問題に耳を貸そうとする。彼が問題なのではないとわかれば、男は問題解決の意欲が湧いてくるのだ。

問題を前向きに表現する方法を知らない女性は、ボニーと同じ立場になった時に非難がましく次のようなセリフを言ってしまうのだが、その一言がどれだけ男の気分を害しているのか気づいていない。

◆「もう一時よ。食事はまだ？　何か食べなきゃもたないわ」という女性のセリフは、彼の耳にはこう聞こえる。

「私たちのことなんてどうでもいいのね。あなたは自分のことと、大聖堂をたくさん見ることしか考えてないのね。もうこんな時間じゃない、こんなのちっとも楽しくないわ。あなたが悪いのよ」

◆「まだ歩くの？　何か食べなきゃ倒れそうよ。レストランを探しましょうよ」という女性のセリフは、彼の耳にはこう聞こえる。

「あなたのせいで一日がめちゃくちゃだわ。あなたは強引すぎるのよ。私のしたいことが何もできないじゃない。別行動にすればよかったわ」

◆「朝食も食べてないのに、もう一時じゃない。どこかで早く食事しましょうよ」という女性のセリフは、彼の耳にはこう聞こえる。

「あなたのミスよ、なんでちゃんと朝食に連れていってくれなかったの。あなたのせいでさんざんな目にあったわ。イヤな思い出しか残らないでしょうね、きっと。それもあなたが悪いのよ」

◆「もうくたくた。何か食べなきゃもたないわ。一日でこんなに見て回るなんて無理よ」という女性のセリフは、彼の耳にはこう聞こえる。

「あなたっていつもこうね。私たちを無理やり引きずり回して。一日がぶちこわしだわ。すぐレストランに連れていってちょうだい。さもないと私、爆発するわよ」

◆「何だかせかされてるみたい。あれも見ようこれも見ようって、少し急ぎすぎよ。もっとゆっくり回りましょうよ。私お腹が空いてるの、どこかで食事したいわ」というセリフは、彼にはこう聞こえる。
「あなたが急ぐから、何もかもぶちこわし。すぐにレストランに連れていってちょうだい、さもないと爆発するわよ、私」

こんなふうに言われたら男性は傷つき、彼女のためにあれこれしたことに何も感謝されていないと感じる。だから、彼女の空腹を何とかする前に、衝動的に自己弁護したくなるのだ。

2 問題について自分の気持ちを話す

女性が解決の必要な問題について自分の気持ちを話すと、男性は彼女に命令されていると感じてしまう。彼女が感情的になればなるほど、男性は彼女を喜ばせるために何とか要求を叶えてやらなければ、という義務感を覚える。そうなるともう彼女の気持ちは「頼み」というよりは、「要求」だ。彼には選択の余地は残されておらず、何としてでも欲求を叶えるしかない。

彼女に気持ちと要求をいっしょくたに表現されると、彼女の要求を叶えてやらない限り、機嫌を直してくれないと男は感じるのである。

女性も、問題解決してほしい時には、気持ちを交えずに話す練習をしなければいけない。ボニーは何か食べたくなった時、自分の感情は交えずに話して、私が問題解決できるように気遣ってくれた。感情を吐き出す代わりに、大したことじゃないんだけど、というようにさりげなく、「ねえ、何だかお腹が空いてきちゃったわ。どこかでお昼を食べましょうよ」と言った。

女性が自分の気持ちをむき出しに表現すると、男は必ず非難されたと感じ、彼女に命令されている気分になる。ただちに彼女の要求を満足させないと、ますます怒られるのではないかと感じる。愛情から彼女を助けるのではなく、それ以上怒られないように何とかしようと思うのだ。

これは健全な動機とは言えないだろう。

3 自力で問題を解決しようとする

女性は、問題が生じたら自分で取り仕切って解決しようとすることがよくある。これはきわめて健全なことだが、これでは二人の仲睦まじさは育たない。

男は、「もし彼女に一人で問題を解決させて、それで彼女が満足なら、それでいいじゃないか」と考えるが、これは間違いである。長い年月のうちに、彼女は助けてくれない彼に対して恨みを持つようになる。そして男も、「こうしたらいいんだよ」と彼女をリードする喜びをみすみす味わい損ねている。

女性がある問題をずっと一人で解決していると、パートナーはそのうちにその問題は彼女の管轄だと思うようになる。彼女にそれができるのなら、彼は彼女にできない別のことに精力を傾けるようになる。男性的な仕事の世界では、物事はこのように運ぶ。つまり他の人にできない特別の能力を持っている人が高給をもらう。誰にでもできる仕事に高い給料は支払われない。

ストックホルムで、ボニーはそうしようと思えばその場を取り仕切り、「私、何か食べたいわ。ここら辺で一休みしましょうか。あのレストランよさそうだわ」と言うこともできただろう。これも積極的でさっぱりしたアプローチの仕方だが、ロマンチックとは言い難い。二人の気持ちも通い合うことはなかったに違いない。そして食事の間中、私は地図やガイドブックを眺めていただろう。

しかし、自らレストランを選ぶという形をとれたことで、私は二人の関係に積極的に関わった。彼女がそれを気に入ってくれたので、私はうまくやったぞという気持ちになり、二人の仲のよさを感じることができたのである。

私はなにも女性は一人で問題解決をしない方がいいと言っているのではないが、覚えておいてほしい。男は女性の求めるものを満たしてやった時に、「やったぞ」と感じるものなのだ。

4　彼が問題解決してくれるのをじっと待っている

我慢強いのは立派なことだが、女性がじっと我慢しているだけで、彼に何をしてほしいのかねばり強く伝えなかったら、我慢なんて有害なだけだ。要求を抱えたまま、ただ待っているだけでは、恨みがたまっていくばかりである。そして、欲求不満が募り彼女は自分だけが与えているような気がしてきてしまう。これは大変よくない。

要求を一部諦めたり、先延ばしにしたりすることは人づきあいにおいては大切なことだ。しかし、女性が自分の要求を素直に、そして上手にパートナーに伝えられないのであれば、そんなものは有害なだけである。

求めているものがあったら、それを満たしてもらえるように上手に働きかけるのが先決だ。そうすればじっと我慢したり、恨みを抱え込まなくて済む。我慢のための我慢は、二人の関係を悪化させるだけである。

賢い女性は、小さな問題は男に決めてもらって、うまくやったという実感を持たせようとする。そうすれば、大きな問題を決める時に自分の意見を聞いてもらえるからだ。

❋女の〝最高の美容液〟は男の視線

結婚前は、トムはメアリーがおしゃれしているのにすぐ気がついて、精一杯ほめたものだった。「今夜はほんとに素敵だよ」とか、「今夜の君が大好きだよ」とか。デートに出かけると、彼女を見つめ、きれいだ、と嬉しそうに言ってくれた。

結婚して数年すると、彼はだんだん彼女を見なくなった。メアリーは感情を傷つけられ、無視されていると感じ、そのうちきれいになる努力もしなくなってしまった。たまによそ行きを着て男性に振り向かれるようなことがあると、彼女はますますトムがそうしてくれないことが悔しかった。

ある時、メアリーがおしゃれをしてトムに、「どうかしら」と意見を求めたら、「いいんじゃない。さあ行くぞ。時間に遅れるよ」と、そっけない返事が返ってきた。それ以来、メアリーはそういうことはいっさい口にしなくなった。彼女は美人だったが、自分の美しさに自信がなくなってしまった。

これも、よくあるパターンである。ほめられることが女性にとってどんなに大切か男にはわからないので、こんなことになる。結婚前には、男は精一杯愛しい女性の美しさをほめようとする。だが結婚してしまえば、自分が彼女に惹かれていることくらい、彼女は当然、承知しているはずだと決めてかかるようになる。

「君を妻に選んだのだから、きれいだと思っているのは当たり前だろ」というわけである。彼にとっては火を見るより明らかなのだ。だが、彼女にとってはそうではない。

女性の容貌は年齢とともに変わるし、二人の関係も変わっていくため、女性は彼に「いまも魅力的だよ」と言われて安心したいのである。こうした女性の大切な欲求がわからない男は、だんだんパートナーをほめなくなっていく。女性が男性からほめられると、どんなに喜ぶかを理解していないためだ。
他の男と同じように、トムはメアリーと結婚したことで、すでに最大級のほめ言葉を示したと考え、彼女をほめなくなってしまった。トムは何を考え何を感じているのか、次にいくつかあげてみよう。

◈「彼はもう私をほめてくれないの」とメアリーが不満を漏らすと、彼はこう考える。
「どうしていつまでも彼女をほめなきゃいけないんだ？　僕が妻のことをどう思っているかは承知しているはずだ。僕の言葉を信じていないのか、彼女は？」

◈「彼はもう私がいくらおしゃれしても気づいてくれない」と不満を漏らすと、彼はこう考える。
「どうして彼女がよそ行きを着るたびに僕がほめなくてはいけないんだ？　それを買った時にすでに素敵だ、と言ってあるじゃないか」

◈「よその女性には目がいくくせに、私のことなんかちっとも気づいてくれない」と不満を漏らすと、彼はこう考える。

「つきあい始めた頃に彼女をよく見つめたのは、彼女の顔かたちをよく知らなかったからさ。いまさら、前みたいにじっくり見る必要はないんだ」

男という男が全員、トムのように感じるわけではあるまいが、彼女をほめなくなる時はたいていの男がこんな理屈をつけている。

カウンセリングをしている時、トムはいまあげた考えや気持ちを打ち明けてくれた。同じ男として、トムの気持ちはわからなくもないが、しかし、私は女性の気持ちも理解している。トムに女性は男とは違うことを説明したところ、彼は非常にやる気を起こし、いくつか態度を変えてみる努力をすると言った。

すると今度はメアリーがイヤがって、こんなことを言った。

「彼に努力なんかしてもらいたくない。私は昔みたいに私の方を見てほしいの。私のために無理にしてくれるのでは、愛されていると感じることはできないわ。本心からほめてほしいのよ」

彼女の抵抗にあって、彼は始める前から諦めムードだった。

ところが幸いにも、二人に次の話をしたら、問題をあっさりクリアすることができたのだ。

＊〝ほめるのが苦手な彼〟から言葉を引き出すコツ

ビルとスーザンは結婚して九年たつ。ビルもトムのように彼女をほめなくなっていた。しかしスーザンはそれを恨む代わりに、こんなふうにビルに働きかけたのだ。

ある日、スーザンはよそ行きを着て夫の前に立った。

「私、どう?」

ビルは、「いいんじゃない」と言って、また向こうを向いてしまった。

彼女はそこで、「お願いがあるの」と言った。

「何だい」

「あなたに、私、どう?　って聞いたら、君はきれいだ、素敵だよ、って言ってくれないかしら」

「そんなことを言う気分じゃなくてもかい?　それでも言ってほしいの?」とビル。

「ええ、言ってくれると嬉しいわ」

ビルはちょっと冗談めかして言った。

「オーケー。君はきれいだ、素敵だよ」

スーザンは、「ありがとう。嬉しいわ」とお礼を言った。

それからというもの、毎日のようにスーザンはビルに私どう見える？　と尋ね、彼もそのたびに彼女をほめていた。三カ月ほどたった頃、彼女がまた同じことを尋ねた時、彼はいつもと違う返事をした。

「君はきれいだ、素敵だよ。でも今日は本気で言ってるんだ。君がこんなことを始めてくれてよかったよ。君がこんなにきれいだったなんて、いままで気づかなかった」

その時から、スーザンが特に頼まなくてもビルは自然に彼女をほめるようになった。時々忘れてしまっても、スーザンが頼めば、にっこりしてほめてくれた。

このビルとスーザンのエピソードを、トムとの関係に悩んでいたメアリーに私が話すと、メアリーの抵抗が嘘のように消えてしまったのである。スーザンのように彼に協力を頼むのは、なにも愛をせがんでいるのではないことを理解し、メアリーも納得した。

ビルとスーザンのようなプロセスを踏んでいけば、自分の要求が叶えられるだけでなく、お返しに彼を支えられることにメアリーは気づいた。数カ月すると、メアリーはまぶしいほど幸せそうになった。そして、「信じられないけれど、あの方法がよく効きました」と話してくれた。はじめは何だかわざとらしいと感じていたトムも、しばらくすると自然にほめることができるようになった。

❋なぜ親密になると〝男の口数〟は減るのか

結婚前の男は、よくしゃべる。女性はやっと自分に心を開いてくれる男性が現われた、と錯覚する。しかし、結婚してしまうと、とたんに男の口数は減る。こうなると女性は煙に巻かれた気分になり、彼はもう自分を愛していないのでは、と不安になってしまう。

「初めて出会った頃は、よく二人で長々といろんなことをおしゃべりしたものだわ」とコリーンは訴えた。

「いまは二人で話す機会なんてまるでない。話題もないし。何だか砂漠でのどが渇いて死んでいくような気分だわ。スティーブは昔とは別人のよう。でも、私自身は何も話すことがないの。愛が消えてしまったのかしら」

スティーブはいまでもコリーンを愛している。しかし愛を示す方法が変わったのだ。彼の気持ちの上では、彼女と人生をともにする選択をしたことで、彼の愛は言い尽くせているので、彼女のようにいつまでも話をしたいとは思わない。

「どうしていつも話をしなければいけないんだい？　一緒にいて一緒に何かしていれば、それで十分じゃないか？　何を話すことがある？」

つきあっていた頃に彼が雄弁だったのは、彼女に自分を知ってもらおうとしていたからだ。また、彼女を知るために熱心に話を聞いた。いったん彼女を知って、彼女にも自分を理解してもらったら、もう話すことは残っていない、彼はそう思っていた。

スティーブは、女性が考えや気持ちを話し合うことで、パートナーと心を寄せ合うことを知らなかった。特に話題がなくても、コリーンは彼と心を通わせるために話がしたいのだ。

女性はうまくいったことも、失敗してしまったことも相手に話したがる。男はうまくいったことについては女性の気持ちを理解できるが、自分に助けてほしいわけでもないのに、なぜ失敗したことまで女性が話したがるのか、本能的に理解できない。

私はコリーンに、必ずまた彼と話ができるようになると納得させたが、まずは二人とも新しいテクニックを練習する必要があった。スティーブに無理やり話をさせるのではなく、彼女は自分の話を聞いてくれるように彼に頼むことにした。

こんなふうに彼女がほんの少し態度を変えただけで、二人の関係は驚くほど変わっていった。

❋この魔法の五分間で男性の〝渋々〟が〝嬉々〟に変わる

私のアドバイスに従って、コリーンはスティーブに「今日は一日どうだった」と尋ねる代わりに、自分の一日を毎日、話すことにした。その時間をつくるために彼女はこう頼んだ。

「あなたが帰ってきたら、私に五分くれない？　その間は私の話をじっと聞いていてほしいの。それだけでいいのよ。ただ私の一日を聞いてほしいの。あなたは何も言わなくてもいいわ。聞いてもらうだけで、ほんとに気持ちがすっきりするの。あなたが家に帰ってきたら真っ先に、そうじゃなければ私が帰ってきた時に、今日一日どうだったって聞いてくれる？　そうしてくれたら感激よ」

スティーブは何も話さなくていいのなら、五分くらい何でもないと快諾してくれた。はじめのうちは渋々だったが、たった五分のことだ、と自分に言い聞かせ実行した。二人の取り決めで、毎日は話を聞かなくてもいいことにしていた。

しかし、彼が二、三日話を聞かなかったら、「今日一日どうだった？」と彼女が尋ねる。これは、二人の間では「いま話をしてもいいかしら？」の意味だ。

二、三週間、話を聞く努力を感謝されているうちに、彼の渋々もしだいに消えてしまった。これを三カ月続けると、スティーブは自分が何も言わなくても、話をすれば彼女は気が晴れることがわかってきた。

落ち着いて話を聞けるようになるにつれ、彼も自分の一日を話すようになった。彼女は信じられない気持ちでいっぱいだったが、実際、この方法はよく効き、二人の愛は深くなっていったのである。

❋男が〝ぶつくさ言う〟のは愛が深まっている兆候

「結婚する前は、ロジャーは私のためにいろいろなことをしてくれたわ」とジョージアは訴える。

「重い荷物を運んでくれたり、週末の予定を立ててくれたり、二週間おきに私の車を洗ってくれたり。だけど突然、何もしてくれなくなってしまった。私のことなんか、もうどうでもいいのかしら」

他の男と同じように、ロジャーも結婚するまではちょっとしたことを彼女にしてやりたいと思っていた。しかしジョージアと一緒になってからは、ちょっとしたことではなく、大きな仕事、つまり彼女と収入を分かち合い、彼女と一緒に生きていくことにウエイトを移し変えた。

これは結婚前にしてきたことより、はるかに大きなプレゼントだ。男はちょっとしたことで彼女が喜ぶのなら、大きなことをすればもっと喜んでもらえるだろうと思い込む。だから、大きなことをしようとしているのに彼女に感謝してもらえないと、男は失望してしまう。

私はジョージアとロジャーに、ゴミを出すというような簡単なことから協力を頼むことを勧めた。

まず「お仕事、お疲れさま」と仕事から帰った彼を優しく迎え、「お疲れの後はゆっくりしたいでしょうけれど、頼みがあるの。これから一週間に三回ゴミを出してくれないかしら。そうしてくれたら、本当に嬉しいんだけど。バカげて聞こえるかもしれないけど、それで私の気分がよくなるの。やってくれる？」と切り出した。

彼がそれを忘れないように、二人はある申し合わせをした。一週間に三回、もしジョージアがゴミ箱がいっぱいになっているのに気づいたら、それをキッチンの真ん中に出しておく。

そして彼がその周りを歩き、それでも気づかなかったら、優しい声で、「ゴミを出してくれる？」と頼む。はじめ、ロジャーは渋ってぶつくさ言った。

彼女は彼がイヤなことをやらされていると根に持つのではないか、とやきもきしていたが、私は、大丈夫、ぶつくさ言うのはいい兆候なのだと言い聞かせた。そして、彼女に、そしてあらゆる女性に覚えておいてもらいたいことを説明した。

❋男には〝ギアチェンジのきっかけ〟が必要

男がぶつくさ言うのは、彼女の頼みを真剣に考えている証拠である。彼はちょうど新しい目的にギアを変えているところなのだ。男は目標達成志向なので、ある方向をめざして走っていると、なかなか別の方向に向きを変えられない。ギアをシフトする時には、男はたいていぶつくさ言うものなのだ。

私がジョージアに言った通り、ロジャーはパートナーの頼みを聞こうとしている最中だった。しかし、それには多少時間はかかった。これは、蝶番《ちょうつがい》のさびついたドアを開けようとするとギシギシ大きな音がするのと同じだ。

女性がぶつくさ言う時は男とは違う理由なので、彼女は男のぶつくさを誤解する。女性が男に何か頼まれて、ぶつくさ言いながらも結局それをしたような場合、腹の虫がおさまらず、かなり長いこと腹を立てていることがある。「私ばっかり損な役回りね」と。これが彼女のぶつくさである。

男がぶつくさ言うのは、「いままでしてきたことでは彼女は満足しないのか？　いま僕は何をしているんだ？　これをしたらどうなるというんだ？　彼女は本当に感謝してくれるのかな。まあ、やってやるか。ちょっとでも何か変われば儲けものだからな。よし、試してみるか」と、いろいろな感情と戦っているのだ。

彼が一歩前進してゴミ捨てを敢行し、それを喜んでもらえたら、心の葛藤はたちまち吹っ飛んでしまう。彼女を喜ばすことができたことに、彼はすがすがしささえ感じる。

ロジャーはゴミ出しを始めた当初、イヤイヤながらそれをし、ぶつくさ言っていた。ジョージアは彼がゴミを出してくれたら感謝を示す練習をした。すると、彼のぶつくさは嘘のように消えてしまった。

男性は、ちょっとしたことでパートナーに喜んでもらえることがわかってくると、しだいにぶつくさ言わなくなる。そして慣れてくれれば、彼女のためにしてやれる何かちょっとしたことはないかと、自分から探すようにさえなるのである。

❋愛を深める〝小さな習慣〟

私の執筆用のオフィスは自宅にあるのだが、仕事中であっても、ボニーが帰ってくる車の音が聞こえると、すぐコンピュータにデータを保存し、彼女を迎えに出る。ボニーはそれによって、自分が特別な存在なのだと感じることができるようだ。

この習慣が長く続いているうちに、我が家に帰ると思うだけでボニーは女らしい気持ちになり、ストレスが減るようになってきた。ほんの少し態度を変えるだけで、パートナーにとっては大きな変化と感じられるのだ。しかし、これは男たちには驚きのようだ。セミナーに参加してくれた男性にこの話をすると、「そんな簡単なことで女性を幸せにできるのか」とびっくりする。

ボニーはスーパーから戻ると、車のトランクを開けたままにしておく。これは私にさりげなく伝える合図だ。私ははっと気づいて、買い物の袋を家に運び込む手伝いを申し出る。男から申し出た方が、女性は自分が頼むよりずっといたわられていると感じる。

しかし、彼がしてほしいことをしてくれなかったら、その時は押しつけがましくなく頼む必要がある。徐々に手伝う習慣がついてきたら、女性はそんなに頼まなくてもよくなる。彼に何かしてほしかったら、第一段階としては、まず彼女の方から頼み始めることだ。

最初のうち、私にも「運ぼうか」と申し出るのをつい忘れてしまうことがあった。するとボニーが、「買ってきたものを運んでくれる？」と言うので、「いいよ」と答えていた。

そんなふうに二、三カ月ほど彼女に頼まれ、感謝されているうちに、すっかり運ぶのが習慣になってしまった。

いまでは彼女が家に戻ると、私は彼女を迎えにいく前に、自然にトランクが開いているか確かめる。そして、彼女を出迎えて抱きしめ、「今日はどうだった？」と聞いてから、中に運び込むのだ。

五分後には、私はまたオフィスにこもって仕事を再開するが、この時は妻にありがとうと言われた後なので、すがすがしい気分になっている。彼女もすっきりした気分でいる。我が家に帰って私にサポートと愛情で出迎えられて、一日のストレスが吹き飛んでしまったからだ。

＊〝腰の重い男〟に手を貸してもらう方法

結婚生活が始まったばかりの頃は、男も女も相手に大きな期待を持つものだ。女性は彼こそ私の心の欲求に応えてくれる人だわと確信し、期待に胸をふくらませる。男も彼女に感謝されると、「こんな小さなことに感謝してくれるのなら、もっとしてあげた時にはどんなに喜んでくれるだろう。きっと彼女を幸せにしてみせるぞ」と張りきっている。

「結婚する前はヘンリーのアパートへ行くと、いつも掃除してあったわ。自分のものは自分で片づけてた」とジョイスは訴えた。

「だけど結婚してからは、あちこちにいろんなものが出しっぱなし。私は母親じゃないんだし、彼の散らかしたものを一つひとつ片づけるのはまっぴら。腹が立つわ」

これはよく聞かれる不満だ。彼女は、昔はきれい好きだったヘンリーがいまはだらしなくなってしまった、と思っている。そして、彼が片づけものを自分に押しつけているこことにストレスを感じ、彼がそれをまた何とも思っていないことに腹を立てているのだ。

さて、彼女は知らないかもしれないが、じつは、彼は昔もそんなふうにだらしがなかったのだ。

彼女にそれが見抜けなかったのは、独身の頃、彼女がアパートに遊びにくる時は、散らかった部屋をきれいにしていたからだ。と言っても、なにも彼女をだまそうとしたわけではなく、ただ驚かせたかっただけなのだが。一緒に住むようになってからは散らかしっぱなしにしておくようになったが、それが非常に彼女の気にさわるということに、彼はちっとも気づかない。

彼の散らかしたものを一つひとつ片づけなければならなくなると、女性は「私は彼のメイドか母親なの？」と腹が立ってくる。彼の靴下を洗わなければならなくなったら、結婚前の喜びは苦々しさに変わっている。せめて、彼が靴下を自分で拾ってくれたらずいぶん違うのだが。

“感謝の言葉”で男に魔法をかけよう

さて、以上のことを理解したヘンリーは、少しずつ散らかしたものを片づけるようになり、ジョイスも彼がそれを忘れても、あまりイライラしなくなった。

ヘンリーに片づけてほしかったら、ジョイスは彼の散らかしたものを拾ってはいけない。その辺に彼の靴下や下着の山ができたら、「靴下拾ってくれる？　私がまとめて洗濯するから」と非難がましくないように、押しつけがましくないように、快活に頼むこと。

彼が自分のものを拾うようになったら、それに気づいてお礼を言う。

「まあ、きれいになったわ。片づけてくれてありがとう」と言うといい。

たいていの女性は、「彼が自分の靴下を拾っているのに、どうして私がお礼を言うわけ？」と考える。しかし、彼にお礼を言うのは、自分のために彼にいろいろなことをしてもらうために必要なことなのだ。

男というのは、はく靴下がなくなってしまうまでは、部屋中に靴下が散乱していようがまったく気にしない。だから、きれいな靴下がなくなってしまう前に自分から汚れたのを拾ったら、それは彼女のためにしているのだから、お礼を言われるに値するのだ。

さて、数カ月靴下を拾い続けていたら、ヘンリー自身も片づいた部屋をありがたく思うようになってきた。彼はジョイスのためではなく、自分のために散らかしたものを片づけるようになった。しかしそうなっても、賢明なジョイスは彼にお礼を言い続けた。

彼女は彼に感謝する機会があると、自分が女らしく、優しくなれることを学んだのだ。

男から上手にサポートを受ける努力、してますか

女性がどんなに男に直接いたわってもらいたがっているかわかれば、彼も二人の関係を変えようという気持ちになってくる。私はこの章で、「二人の愛を深めるために女性には何ができるか」ということにずっと焦点を当ててきた。男に賢く働きかけることで、彼から得られるサポートが驚くほど増えるからだ。

さて、ここで私が妻のボニーを大切にしていることを彼女に知ってもらうために使ったテクニックをご紹介しよう。

ボニーとの新婚一年目のこと。どこの新婚夫婦もそうだろうが、私たちの結婚も愛情に満ちたスタートを切り、二人とも幸せでいっぱいだった。

しかし、何カ月かするうちに、ボニーが急速に落ち込み始めた。私が仕事から戻ると飛びつくように出迎えてくれたのに、それがしだいにお決まりの日課になっていき、

特別なことではなくなってしまった。二人が話す機会もどんどん減った。

私は、彼女が変わってしまったことにさえ気づかなかった。妻の変化がとてもゆるやかで、とりたてて変わったところも見えなかったからだ。

しかし、彼女の変化を見過ごしたのにはその他にも理由があった。私は毎晩仕事から戻ると、疲れきってはいても、気分は充実していた。それは仕事が順調にいっていて、いい生活をし、家を買う資金も徐々に貯まっていたからだ。「男子たるものこう働くべきだ」という理想像が私にはあって、私はそれを立派に果たしていた。私はいい稼ぎ手だった。

一方、ボニーは、グチ一つこぼさず、優しく愛情深い妻となる努力をしていた。しかし、彼女が満たされていないことがだんだんはっきりしてきて、隠しようがなくなった。

「私のこと、もう愛してないんでしょう」と彼女は言い出した。そして目に涙をためて訴えてきた。

「あなたにとって私はどうでもいい存在なの？　お仕事の方が私よりも大切なんでしょう、私なんか仕事に比べたらどうでもいいのね」

私は、もちろんいまも彼女を愛していることを一生懸命に説明した。彼女もそれを聞いてはくれたが、結果は、その説明のせいで余計に問題が深刻になってしまった。

「あなたはカウンセリングにくる人たちのことばかり考えていて、私のためには何もしてくれないのね。私はあなたの優先順位のリストの最下位に置かれているんだわ」

私はそれだけ熱心に働くのも、彼女のためなんだと力説した。二人が一緒に暮らしていくには経済的な裏づけがいる。私が家庭を守るために働いているのだと知れば彼女も満足するはずだと思ったが、その説明は理屈には合っているものの、いい稼ぎ手であるというだけでは、彼女の心を満たすことはできないのだった。

❋私が実行している帰宅後の〝黄金の二十分〟

ボニーの願いを受けて、私はそれまでよりも一時間早く帰宅し、そのうちの五十分を彼女のために割くことにした。二人の間を変えるために、私は彼女を一番大切で払いのいい相談者なのだと考えることにした。これは仕事なのだと自分に何とか言い聞かせ、帰宅してもエネルギーを維持しておくことにした。

私はそれまでは仕事が終わって家に帰ると、ある意味で虚脱状態になっていた。しかし、自分に「お前は自宅にいるのではなく、よその家を訪れているのだ」と思い込ませて、簡単にそれまでの習慣を変えることができた。

家に帰ったら、できるだけ彼女の助けになるようにする。彼女を探して、抱きしめ、「今日はどうだった？」とこちらから切り出すのだ。彼女が何かしていたら、それが何だろうと、手助けを申し出る。ニンジンを刻んだり、テーブルを拭いたり、ゴミを出したり、彼女のところに行って、自分の一日のことを立ち話したり、彼女の話を聞いたりする。

それまでそんなことをしたことがなかったものだから、彼女も最初は慣れなくてほとんど何も話そうとしなかったが、すぐに心を開いてくれた。こんな時間を彼女と共有することによって、彼女は明るくなっていった。五十分かける必要さえなく、二十分で十分だった。数日がたつと、彼女はいつでも明るい笑顔を見せるようになり、機嫌がよくなり、ストレスが減った。

それ以来、私がその黄金の二十分を彼女と共有するのを時々忘れてしまうこともあるが、二人の間がマンネリになってきたな、彼女がストレスをためているなと感じると、またいそいそと、その時間を大切にする。

いまはこのテクニックは自然に出てくるようになった。私は家に帰ると、あるいは彼女が帰ってくると、すぐに彼女を探すか出迎えて、しばらく愛情といたわりとサポートの時間を持つことにしている。

男は愛情に包まれているとストレスをあまり感じない。仕事がハードでも、ボロボロになったり神経がすりきれたりはしない。

意識してエネルギーを二人のことに費やすようにすれば、仕事のプレッシャーをもっと簡単に忘れ、家庭で力が発揮できるようになるのだが、多くの男はそれに気づいていない。

仕事を大事にするのと同時にもっとパートナーのことを考え、お返しに彼女に感謝されれば、それだけ仕事へのエネルギーが湧いてくるのである。

5章

これだけは守りたい…男と女の“感情の法則”

……“ちょっとした一言”が信頼を育てる、共感を生む！

男も女も、つきあいが長くなったり結婚したりすれば、自分でも気づかないうちに変わっていく。前章では「変わってしまった男性」にうまく働きかけて愛に満ちた関係を築くコツをお教えした。そこで、本章では「女性の変化」を男性がどう誤解しているのか、その誤解をとくことで、さらにいいパートナーシップをつくるテクニックについて考えてみよう。

女性はたいてい自分の変化が二人の関係にどんな影響を与えているか、まるで気づいていない。そして、パートナーだけが変わってしまったのだと信じている。

自分の変化には誰しも気づきにくいものだが、男性はパートナーの変化に腹を立て、根に持ってしまうことがあるのだ。

女性はたとえ男性が以前のようでなくなっても、パートナーへの愛が消えるわけではないが、男は昔愛したあの女性はどこへ行ってしまったのかと悩んでしまうものだ。

そこで、女性の様々な変化に対して男がどのように感じているのか、いくつか例を見ていこう。次にあげるのは、よく聞かれる不満や意見である。

「昔はどこへ連れていってあげても彼女は感謝してくれた。いまは何をしてあげても当然という顔だ」

「彼女は僕のことを子供扱いするようになり、口うるさくなった」

「以前の彼女はとても優しかったのに、いまは家に帰るとグチばかり聞かされて閉口してしまう」

なぜ、男はこうした不満を持ってしまうのか。その原因と対処法を見ていくことにしよう。

❋〝こまめな心遣い〟で愛情のメンテナンスを

「ジュディは昔はどこに連れていっても喜んでくれた」とジムは言う。

「いまはどこに行っても別の場所の方がよかったという顔をする。もう勝手にしろ」

男は目標達成志向なので、気に入ったレストランを見つけると、何度でもそこへ通う。そこなら勝手がわかっているから、よく知らない店をのぞいて失敗することもない。

しかし、女性は目先の変わったことを試してみたがるものだ。男にとって新しいものを試すのは失敗の危険を冒すことだが、女性にとってはマンネリを抜け出すチャンスだからである。

つきあい始めた頃にジュディがレストランに連れていってもらうといつも喜んだのは、どこの店も彼女にとっては新鮮だったからだ。彼の行きつけの店に連れていってもらうことは、楽しみであり、わくわくすることだ。しかし、交際が長くなるにつれて、いつもいつも同じ店に連れていかれるようになったので、彼女は変化を求めるようになった。

女性が以前とは態度を変えて、彼の選んだ行き先に文句を言うようになると、男は自分の選択にケチがつけられていると勘違いして、そのうちに自分からは提案をしなくなる。また彼女に何やかや言われるのを恐れているのだ。

ジュディが変化を求めていることを知ってからというもの、ジムは彼女の不満をやりすごせるようになり、ストレスを感じなくなった。そのうち、新しいことを試したいという彼女の気持ちを尊重するようになった。どこに行くかをオープンに話し合うことの方が、最終的にどこに行ったということより大切なのだ、と彼は理解した。

ジュディも、彼が連れていってくれたところを意識してほめるように心がけた。二人で行ったレストランの食事がそんなにおいしくなかったとしても、彼女は気にしないようにし、一緒に楽しい時間を過ごせたことに対して彼にお礼を言う。すると彼は、彼女にいろいろ言われなくても、それと察して、もうそのレストランには誘わなくなる。

また、つきあいが長くなると、女性は彼の欲求を叶えてあげることならどんなことにでも喜びを感じ、相手に尽くしすぎるようになることがある。たとえば、男のお株を奪って自らレストランを選んだり、彼に代わって夜の予定を立てたりするのである。こんな時も、男は「女性が変わってしまった」と感じる。女性にとっては「提案する番を代わっただけ」なのだが、男はこれがわかっていない。

二人の関係において大切なのは、「行き先の選択が間違っていなかったか」ではなくて、「二人で行き先を決めること」を大切に考えることなのである。

〝感謝の言葉〟は出し惜しみしない

「つきあっていた頃は、ちょっとしたことでメアリーは喜んでくれた」とトムは言っていた。

「彼女を喜ばすのなんて、わけなかった。どんな小さなことでも感謝してくれたからね。いまは仕事先から電話を入れたり、車のドアを開けてあげたり、デートの段取りをしても、そんなふうに喜んでくれない。当然という顔なんだ」

「メアリーは人が違うほど変わってしまった」とトムは思っているが、彼女は妻としてはごく当たり前に振る舞っている。女性は恋をすると、頻繁に彼に感謝を示すことで、あなたのことが好きよ、誘ってほしいわという気持ちを伝えようとする。

しかし、結婚した後も男は感謝してもらいたがっていることを女性は知らない。努力や協力を女性に認めてもらうことが男にとってどんなに大切か、理解していないからだ。女性は、自分の務めは彼のためにいろいろなことをしてあげて、愛情を示すことだと考えている。ところが男は、彼女にあれこれ世話されるよりも、むしろ彼女にしてあげたことに感謝される方が嬉しいのだ。

結婚生活が長くなり、女性がいっそう彼の世話を焼くようになると、彼女は彼からたくさんお返しをしてほしいと思い始める。結婚するまでは、彼が電話をかけてくるだけで、女性はわくわくする。ところが結婚すると、パートナーが一週間に三回も〝帰るコール〟を忘れたりしたら大変である。「私のしていることは割に合わない」と怒りを爆発させるようになるだろう。

「男が尽くし、女が感謝する」この法則が崩れると男も女も憤懣《ふんまん》やる方ない気持ちになってしまうのだ。女性は意識して〝感謝の言葉〟をかける必要があるのである。

❋〝ロマンチックな気分〟が長続きする魔法

「結婚したばかりの頃、ジェーンは体を求めるといつでも応じてくれた」とビルは打ち明けてくれた。
「彼女も一緒に楽しんでた。ところがいまは、求めても用事で手がふさがっていたり、そんな気になれないと言われたり。しばらくは彼女がどんな時にその気になるのか観察してたけど、いまはもうどうでもよくなってしまった。もうこちらから頼む気はしないね」

ビルには、女性がその気になるには、愛とロマンチックな設定を与えてもらう必要があることがわかっていなかった。単に給料を稼いでくるだけのパートナーには、女性はその気になれないのだ。彼が昔のようにちょっとした心遣い、つまり我を忘れさせてくれる「魔法」を示してくれたら、と女性は思っている。

結婚前は、男も女性をその気にさせるためにロマンチックなことをする。しかし、女性は日常的に愛し合うことができるようになっても、ロマンチックな設定を求める。男はたいていこれに気づいていない。ロマンチックな気持ちになれないと、彼女は日々の生活に忙殺されて、パートナーと愛し合う気などなくなってしまうのだ。

女性は「外の仕事」から帰宅しても、女性の本能に駆り立てられて、さらに与え続けようとする。主婦や母親としての仕事が山ほど待ち構えていて、セックスを楽しむ余裕など持てないのだ。

ジェーンが、どうしてもたくさんのことを背負い込んで、息がつけなくなってしまうことを知ってからというもの、ビルは自分から話を切り出すようにした。そして、話を聞いてもらえる、孤立無援ではない、という安心感を彼女に与えられるようになった。

二人で話す機会ができると彼女もロマンチックな気分になって、また彼と愛し合えるようになった。家庭でパートナーに支えてもらえるようになると、女性はセックスを楽しむ余裕を取り戻せるのである。

女のアドバイスは男には〝おせっかい〟に聞こえる

「はじめジョージアは無条件に愛してくれた。僕はありのままでいられたし、それで彼女は満足していた」とロジャーは言っていた。

「いまは彼女が僕を変えようとするんだ。いつもああしろこうしろとうるさいよ。まるで子供扱いなんだ。イヤになるよ」

女性は恋をすると、彼に可能な限りベストを尽くしてほしいと願うものだ。女性は愛する人の中に眠っているすばらしい能力を発見して、その能力を開花させようとする。彼を育てたくなるのだ。

女性は子供がいなくても、恋をすると母性本能が強くなり、パートナーを育てようとする。子供がいたら、この本能はさらに強くなる。不幸なことに、女性はパートナーを育てようとして、あれこれ母親のように指図せずにはいられなくなるのだ。

女性が母親のように男性に指図する時、自分ではそれを愛情深くて彼の役に立つ行為だと考えている。しかし、本当は二人の関係を壊してしまっているのだ。

つきあい始めた当初は、女性は母親のように男にあれこれ指図しない。彼のすばらしい素質を見抜いても、彼が自分でそれを伸ばしていくだろうと考えるからだ。

しかし、つきあいが長くなると、彼のやり方と、彼女がこうすべきだと考えていることが違うのに気がついて、頼まれもしないアドバイスをするようになる。

彼女は彼を助けているつもりだが、じつは、「あなた一人じゃうまくいかないわ」と言っているのに等しい行為なのだ。彼は、彼女が自分を教育しようとしていると感じる。

次にあげるのは、女性の何気ない一言を男が誤訳した時に起こる、二人の会話が破綻していく例である。

◆彼が着替えている時……
「その上着はやめた方がいいんじゃない」はこう聞こえる。

「あなたは自分の着る服さえろくに選べないのね」

◆彼が何か自分のものを買った時……
「他の店もよく見たの？　それ、いくらしたの？　えっ、そんなにしたの！」はこんなふうに聞こえる。

「ものの値段もわからないのね、あなたって。いい大人のくせに」

◆彼がジャンクフードをつまんでいる時……
「ポテトチップスは塩分も油も多くて心臓に悪いのよ。そんなもの食べるものじゃないわ」はこう聞こえる。

「あなたって体に悪いものもいいものもわからないのね。いつになったら成長するの？」

◆彼が黒い車を買った時……
「黒い車は汚れが目立つのよ。あまり頻繁に洗わないいんだから、別の色を買うべきだったのに。これからはまめに洗車するわけ？」はこう聞こえる。

「あなたって、車一つまともに選べないのね。私に相談すればよかったのよ。黒を選んだのなら、毎週洗うことね。でもきっと忘れるでしょうから、私が言ってあげるわ」

◆彼が締め切り間近になって必死に仕事をしている時……
「ぎりぎりまで腰をあげないから、土壇場になって慌てるのよ」はこう聞こえる。

「私ならもっとうまくやるわ。私の言うことを聞いて、その通りにしなさいよ。あなたももう少し大人になれば、私みたいに分別がつくわよ」


どのケースでも、女性は頼まれもしないアドバイスをして、彼が自主的に判断する邪魔をしている。これはサポートやアドバイスとは言えない。それに、男はこういうおせっかいには絶対に耳を貸さない。

それでも女性がおせっかいなアドバイスをしつこく繰り返したら、男はしだいにそっぽを向くようになる。

❋〝男の支え〟があるから女は優しくなれる

妻のボニーが私にあれこれ指図し出したら、私は、「彼女は助けてもらいたいのに孤立無援になっているのだ」ということを忘れないようにする。そうすれば、あれこれいらないおせっかいを焼く彼女を、前向きにとらえられるからだ。私はこれを「キャンプの監督」現象と呼んでいる。

ボニーがキャンプの監督になっている時は、私は彼女を助け出す方法があることを忘れないようにして、彼女のうるさい指図をやりすごし、腹を立てないように耐える。私が助け船を出して彼女の代わりにその場の指揮をとれば、彼女も私のサポートを喜び、緊張を解くことができるのだ。そうなれば、もう私を子供扱いしてあれしなさい、こうしなさいと指図しなくなる。

私がこのことに初めて気づいたのは、家族旅行の荷造りをしていた時のことだった。

私は自分一人の荷物を詰めていたが、彼女は自分の荷物の他に、三人の子供たちの分まで手を貸して、てんてこまいしていた。

　彼女は子供たちにこんなことを言っていた。

「歯ブラシ入れた？　あなたのお気に入りの毛布とパンダも入れときなさい。上着とセーターを忘れないのよ、寒いといけないから。さあ、ぐずぐずしないで、あと十五分で出発よ！　準備が終わったら、台所にロールパンがあるわ。あれならトースターで温めるだけでいいから」

　彼女は、その時ちょうど部屋に入ってきた私にまで同じ口調で、「切符持った？お財布は？　出かける前にオフィスに電話を入れといた方がいいわよ。セーターは持ったわね？」

　子供扱いされて、私はすごく腹が立った。いらぬお世話だ、切符もお金も持った。オフィスにはもう電話してある。セーターも持った。ぷいと部屋から出ていこうかと思った。以前の私ならそうしていただろう。しかし、その時はもっと分別があった。女性は男性に支えてもらわないと優しくなれないのだと知っていたので、うまい方法で問題を処理することができたのだ。

❋男に〝知らんぷり〟されると女は男性化する

女性がその場の責任を一人で背負い込み、それをパートナーに知らんぷりされると、彼女はますます孤立し、手助けを得られないためにあらゆることに責任を感じ始める。ちょうどキャンプの監督のように。そして、「何にもわかってくれないのね」という気分になる。

私はボニーに一人で何もかも背負うことはないのだと安心させてやることで、彼女の指図や命令をやりすごすことにした。やり方はきわめて簡単で、彼女の指図をそのまま繰り返すだけ。彼女が子供に、「歯ブラシ入れた？」と言ったら、私も「ローン、歯ブラシを入れなさい。入れたら、お前のパンダを持ってきなさい、お父さんが詰めてあげるから」と言ったのだ。

彼女の指図をうん、うんと受け身で聞いていたのでは、彼女のストレスは軽くならなかっただろう。しかし、こちらから自主的に動いて、片づけなければいけないことの責任を分担するようにすれば、彼女の負担を軽くしてやれるのだ。

彼女の方をちらっと見ると、背筋を伸ばして、ほっと安心したように息をついていた。

つまり、私が手を出してやらないと、彼女は男性的な面を発揮しすぎてキャンプの監督になってしまうということだ。男が統率力をきちんと発揮してその場の指揮をとれば、彼女は緊張を解いてまた女らしさを取り戻す。ボニーは女らしさを取り戻して素直にサポートを受け入れられるようになったし、それだけでなく私に感謝してくれた。

女性がキャンプの監督になっていたら、タイミングを見計らって、彼女に寄り添い、手を触れるとか、抱きしめてやるといい。体にやさしく触れられると、女性はどんな場合でも女らしさを取り戻し、男性的な面と女性的な面の崩れたバランスが回復できるのだ。

彼女に触れたら、次は彼女の助けになるようなことを率先してすること。男がてきぱき動けば、女性はそれだけ一人で何もかも片づけなくてもよくなる。男がいまは何をすべきなのか自主的に考えてくれれば、彼女もそれだけほっと息がつけるのだ。

また、彼にサポートされていることが感じられれば、女性は自分のさしでがましい命令がいかに男性を傷つけるか考えられるようになるし、彼にあれこれおせっかいをしたり、いらぬアドバイスをしたりしないように気をつけるようになる。

❋男と女の関係は〝庭いじり〟に似ている

パートナーに態度を変えてほしいと頼むのは、庭いじりに似ている。どちらも、一番いい時期を見計らって種を蒔いてやらなければいけない。いったん種を蒔いたら、それを掘り返したりしてはいけない。後は水をやって、じっと芽が出てくるのを待つだけだ。

つまり、いったん相手に何かを頼んだら、後は相手に任せ、説き伏せたりしてはいけないということである。パートナーも頼まれたことをじっくり考える時間があれば、最善を尽くしてくれる。そして数日かけて相手の頼みをじっくり考え、できる時にそれを実行しようとするはずだ。

たとえば前にも述べたように、もっと協力してよとパートナーに要求する代わりに、穏やかに頼めば、男はそれだけ頼まれたことを忘れなくなる。もし彼が反発したとしても、説き伏せたりせず、考えておいてねと言えば、そのうちもっと自然に女性の頼みを聞き届けるようになる。

ことに経済的に自立している独身の女性は、「自分で何もかもやっていけるから男なんか必要ないわ」という印象を周りに与えないように注意しなければいけない。そして、もし実際にそんなふうに考えているのなら、この先もずっと一人でいることになるだろうし、そのうち男が愛情深く与えてくれる精神的な支えを切ないほど求めていることに気づいて、苦い思いを味わうことになるかもしれない。

そして男というものは、自分を一番必要としてくれる女性に惹かれるものだ。彼女のそばにいれば、他の誰のそばにいるよりも感謝してもらえるからだ。男はありのままの自分をパートナーに認められている、理解されている、信頼されていると感じた時に安心するものなのだ。

昔から、女性は自分より優れた男性をパートナーに選んできた。そして実際、女性はたいていの場合、ある意味で自分よりも優れている、信頼できると思った男性を結婚相手に選ぶ。これは二人の関係を長続きさせる上で欠かせない要素なのだ。

男の〝心の限界〟を尊重しよう

もちろん、女性の頼みが協力できる範囲を超えていたら、男はノーと言っても構わない。と同時に、パートナーには頼みを尊重していること、いまは取りかかれなくても後でやるということをきちんと伝えよう。

男がこれ以上は協力できないと限界を決めた当初は、女性は一時的に反発を示すかもしれない。女性が彼との関係でどんな感情でも吐き出すことを許されている場合、彼への不信感まで率直に表現するからだ。だが、全体としては徐々にいい方向に向かっているのだ。

女性の反発に対応する時には、男性は決して腹を立てず「それは僕にはできない」ということをもう一度穏やかに言うのが一番よい。彼女も、腹を立てて怒鳴らなかったパートナーを尊重する。いくつか例をあげよう。

たとえば男が、「手伝いたいけど、いまはしばらく自分の時間が欲しいんだ。後で必ずやるよ」と言うと、女性は次のように言って反発するかもしれない。

◆「いつも後でやるよ、って言って、やってくれたためしがないじゃない」

◆「いまやらなかったら、あなたは忘れるに決まってるわ」

◆「後でまた催促したくないのよ。あなたっていつも忘れるんだもの」

男は「限界」を決めたら、彼女のこの手の反発は覚悟しておかなくてはいけない。

しかし、彼が後できちんと頼み事をやってくれることがわかれば、彼女もあまり反発しなくなる。

また、女性に反発されても、「この間はちゃんとやったじゃないか」などと反撃するのは慎むことだ。女性の反発を乗り越えようと思ったら、腹を立てず、「手伝いたいけど、いまはしばらく自分の時間が必要なんだ。後で必ずやるよ」という最初に言った言葉を断固として通すことだ。

男が見苦しい言い争いや喧嘩を毅然として避ければ、あれもやらなかった、これも忘れた、などという非難の応酬に発展するのを避けられる。男は「いまはできない」という言葉を繰り返していれば、愛情深い態度を保ち続けることに専念できる。そうしていれば、彼女も彼の毅然とした態度を尊重するようになるだろう。

こういう場面では、気持ちをぶちまけるのは女性だけでたくさんだ。男まで一緒になって、言いたいことを言って衝突したら、たちまち収拾がつかなくなる。「言わなきゃよかった」と後悔するようなことまで口走ってしまうだろう。そうなると、数日たって喧嘩したことを忘れてしまった頃でも、女性はパートナーの愛情をあまり信用しなくなっているし、男性もパートナーに尊重されていないと感じて、手伝いにも気が乗らなくなるのだ。

❋〝被害者意識〟が大きくなる前に手を打とう

いま述べたのとはまた別の意味で、男がノーと言うと女性は感謝する。彼がノーと言えるのなら、自分もノーと言えるからだ。ある意味で、女性はノーと言える男に惹かれる。そんな彼なら、彼女のノーも尊重してくれるからだ。

女性はなかなか、「これ以上はできない」という限界を決められない。限界を決めるのはだいたい男の行為である。しかし、女性は他人の限界は尊重するが、自分ではなかなかノーと言えない。そして、我慢に我慢を重ね、被害者意識をため、ついにノーと言わざるを得なくなった時は、相手を尊重した言い方ができなくなってしまう。

結婚前は、男性はパートナーのことを女らしくて、愛情深く、惜しみなく与え、自分を受け入れてくれる人だと考える。女性は自分の求めているものを彼がすべて与えてくれるので、彼に自分の一番いい姿を見せられるのだ。男は彼女のそんな優しさを好ましく思い、感謝している。

ところが時がたち、男がパートナーに要求ばかりして、彼女を支えなくなると、女性は以前ならイエスと言っていたことにノーと言うようになる。しかも、相手を傷つけるような言い方で。

女性は一般的に、相手を傷つけないノーの言い方を知らない。そこで、ノーを言うときのルールをあげてみよう。

◆一言短く、「それはできないわ」と言う。
◆何か言えば言うほど、男性は聞いていられなくなる。
◆もし彼がしつこく要求してきたら、「それはできないわ」という最初の言葉を毅然と繰り返す。前にも言ったが、繰り返していれば、相手を傷つけないでノーと言えるのだ。

こうした知識を上手に活用して、パートナーとのもっといい関係づくりを心がけてほしい。

6章

女らしさ、男らしさを大切にしてますか

……“男と女の違い”こそ二人の絆を強くする

私は、「男と女は別々の星からやってきたように違う」ということを、『ベスト・パートナーになるために』の中でかなり詳しく述べた。

私がいろいろな例をあげて男と女の違いについて説明すると、たいていの方が深くうなずいて同感してくれるが、なかには、納得がいかないように首をかしげる人もいる。実際多くの女性が、「むしろ、男性とはこういうものだという例に、自分が当てはまるような気がする」と口にする。

一般的に言って、男性に敬意を払われている女性や女らしい女性を見て育たなかった時に、女性は男っぽくなりやすい。それと同じように、男は、身の回りに愛情深くて、しかも強くたくましい男性を見て育たなかった時に、女性化しやすい。

また、パートナーや恋人のいない女性は、とりたてて女らしい傾向を示さないことがある。彼女はあらゆる面で男性的で、自立している。しかし、そんな女性もいったん愛するパートナーができると、女らしくなる。

そして男も、自分は女性っぽいのではないかと感じることもある。特にクリエイティブな男性は、自分の中に男性と女性の両面があることを感じるものだ。こういう男性は男らしい女性に惹かれる傾向がある。違うものは惹かれ合う、という公式はここにも当てはまる。

❋〝心のバランス〟が崩れると女はこう変わる

二人が理想の関係を築くには、それぞれが自分の中の男性的な面と女性的な面の両方をバランスよく大切にすることだ。

特に女性はストレスに押し潰されそうになると、問題を片づけることしか目に入らなくなり、心の中の欲求や女らしさが求めているものを感じ取れなくなってしまう。

女性は負担があまりに大きくなってバランスを崩すと、問題解決しようとする男性的な面が強くなってしまう。そうなると、本来備わっている女らしい話し方で安心して感情を打ち明けられなくなってくる。この傾向は、次の三つの症状として現われる。

①ストレス過剰で過食になる
②何でもかんでも自分一人で片づけようとする
③無理やり彼の心をこじ開けようとする

ここで、この三つの症状を詳しく見ていくことにしよう。

①ストレス過剰で過食になる

食べることは愛の代わりになりやすい。女らしさが十分に満たされていないと、その反動として食べることに執着してしまうケースがよくある。食べることで、女らしさが満たされていない苦痛、心の飢えを一時的に抑圧しておくことができるからだ。感情を麻痺させれば、情熱を求める気持ちが働かなくなる。

愛情とやすらぎに満ちた人間関係を求める気持ちと心の奥から湧いてくる渇きを癒すために食べすぎてしまう——この傾向は、心理用語で「欲求の代償」と言う。つまり、本当に欲しいものが得られない時に、それよりは満たしやすい他の欲求を満足させることで代用するのである。

この場合には、愛を求める気持ちが食欲とすり替えられたわけだ。本来の欲求が満たされるまでは、食べても食べても空腹は癒せない。食べることで、その場は何とか欲求を押し殺し、ほっと一息つくことができる。そして、「私はいまのままで十分幸せよ、心を開いて話し合う必要なんかまるでないわ」と一時的に自分自身をごまかすことさえある。

女性は女らしさを強く感じるほど、自分の気持ちや問題について話をしたくなる。ところが、こうした〝女らしい感情〟はいまの自立した女性には違和感があり、この感情に襲われると、自分のことを感情的で、非論理的で、ちっぽけで劣った人間のように感じてしまう。そして多くの女性が、自分のこういった感情を恥じる。

このように感情的に混乱すると、女性はこの混乱の原因である、自分の女らしい感情について話したがらなくなる。そして、パートナーとの間にいらぬいさかいやストレスをつくり出さないように、自分の中から女らしい欲求があふれてくるのを押し止めようとする。その結果、もっともっと食べずにはいられなくなる。

女性がこの食べすぎの問題をダイエットで解決しようとすると、いっそう感情は男性化して、バランスを崩してしまう。ダイエットを始めると、体が飢えのパニックに襲われるので、かえって食欲が湧いてくる。そもそも、女らしさは男に大切にされて安心できた時に満たされるものだ。厳しい節食のルールを自分に課すことは、どちらかというと、女らしさではなく男性的な面を満足させることである。

気楽にゆったりすること、無理に頑張らないこと、安心、娯楽、楽しみ、美……こういったものが女らしさに栄養を与えてくれる。最近のダイエット・プログラムの中には、低脂肪の食品をどんどん食べて、ゆっくりしたペースで運動することを勧めるものもあるが、こうした方法は女性らしさを抑圧しないので、体重を減らすにはよりよい方法だと言える。

しかし、女性の太りすぎを解決する一番の方法は、二人がもっといい関係をつくって、ストレスの少ない、ゆったりしたライフ・スタイルを持つことである。

②何でもかんでも自分一人で片づけようとする

女性は男性のサポートによって女らしさが満たされないと、ないがしろにされていると感じてしだいに男性的になり、男のような行動をとるようになる。

つまり、急速に目標達成志向になり、他人と競争したり、独断的になったり、独立心が強くなったり、てきぱきと立ち回ったりするようになる。そして自分の合理性や理性に誇りを持ち始める。そして、女らしい感情を劣ったもの、望ましくないもの、とても醜悪なものだと拒否してしまうことが多い。

こういった女性には、優しく女らしくなれば男性に愛されるということが考えられない。だから一生懸命に働いて、自分の女らしい感情や欲求を押し隠そうとする。「女らしいこと」は恥ずかしいことなのだと誤解しているので、男がどうしてそこに惹かれるのかわからない。

こういった女性は、自分の女らしい欲求を処理するために、優しくなる代わりに片意地を張り、繊細になる代わりにタフになり、人を頼りにする代わりに独立心が人一倍強くなる。つまり、一人で何もかもやることで、満たされない苦痛を何とかしようとするのだ。そんな女性は心を閉ざして深い人づきあいを避ける。場合によっては男から差し伸べられた手を、バカにして突っぱねることさえある。それを受け入れさえすれば満たされるのに。

この「もっとたくさんのことを一人でする」傾向によって、家庭内の問題を何から何まで片づけずにはいられなくなる女性もいる。家の中のものは常に整然と、清潔に保たれていなければならない。また、ある女性は、この傾向に追いまくられ、息つく暇もなくなる。男性化して問題解決に追い立てられるあまり、リラックスできなくなり、ロマンチックな情熱が急速に冷めていく。パートナーとのセックスも喜びのない機械的なものになってしまう。

また女性によっては、用事を背負い込みすぎて、身動きがとれなくなることがある。先にも述べたように女性は人から頼りにされると、なかなかノーと言えないものだ。それどころか、頼まれてもいないことまでしなければいけないような気持ちに追い込まれ、周りの人の頼みをいつでも、何でも引き受けることに誇りを感じるようにさえなる。

女性が一人で何もかも片づけようとする時は、助けを求めているのだ。彼女は消耗しかけていると言ってもいい。しかし、こうした状態の女性が男に支えてもらうのは、なかなか難しい。

「助けて、協力して」と素直に頼めなくなっているからだ。しかも、彼女たちは周囲から、一人で何でもできる女性のように見られているため、助けてくれる人がほとんどいない。たとえ助けようか、と申し出たところでピシャリとはねつけられてしまうのが落ちだからだ。

彼女は自分の弱い部分を誰にも見せたことがない。誰もが、彼女はタフで、助けてもらうより助ける側の人なのだと、敬意を持って彼女を見るようになってしまっている。

また、何もかも自力でしようとする女性は、なかなか恋人を見つけることができない。そういう女性は、私に「男の人を惹きつけるにはどうしたらいいんですか」とよく聞いてくる。こういう女性には、男はパートナーの役に立ちたがっていること、パートナーを満足させたと感じた時に充実感を味わうものだということを理解してほしい。この充実感によって、男性は女性との強い絆を感じるのだ。

③無理やり彼の心をこじ開けようとする

女性が精神的なバランスを崩している時に、最もよく現われる症状の第三番目が、パートナーの心を無理やりこじ開けて、女性的な方法で話をさせようとすることである。

この第三段階にある女性というのは、彼から無理に話を聞き出し、彼女自身がバランスを崩していない時の話し方で話をさせようとする。これは自分の代わりに彼に女性化してもらおうとするためだろう。

こういう女性は、パートナーの男性がもっと繊細で感じやすい心を見せてくれたら、自分も満たされるのにと思い込んでいる。これこそ真の欲求を他のもので満たそうとする代償行為である。

この代償行為で、女性は自分自身のもっと繊細で優しい気持ちを表に出したいという欲求を満たそうとする。

食べることで愛の欲求を紛らわすように、あるいは、いたわられたい欲求を周りの人の世話を焼き続けることで紛らわすように、第三段階の女性はパートナーを女性的にすることで、自分の女らしくありたいという欲求を紛らわそうとするのである。

❋パートナーのSOSのサインを見落としていないか

ボニーは話したいことがあると、「話したいことがあるの」とズバリ切り出さずに、私にあれこれ質問してくる。私は実際のところ疲れていて、一刻も早くくつろぎたいのだが、彼女に話があることがわかるので、聞いてやろうとする。思い返せば、以前は彼女が話したいと思うと、余計に私は聞きたくないと抵抗していた。

以前の私は質問になるべく手短に答え、それで（彼女へのプレゼントとしては）十分だと判断し、さっさと自分へのご褒美として、くつろいでテレビを見始めたりした。彼女は質問に答えてもらいたいわけではないことに私が気づかなかったものだから、彼女は私の態度に腹を立てていた。「それで君はどうだったの」とお返しに聞いてやらなかったからだ。

こういう状況にうまく対処できるようになったのは、私が彼女のサインを読めるようになったからだ。いまではボニーにあれこれ質問されると、自分はあまり話さないで、彼女に質問し返すようにしている。それでも彼女が話し始めなかったら、優しく聞き出す。彼女が話し始めたら、後はおもに彼女に話をさせる。話したがっているのは、私より彼女の方なのだから。

鉄則として「男は女性より口数を少なく」――これを守れば、精神面で男女の役割が入れ替わってしまうのを食い止められる。確かに、場合によっては私もよくしゃべることはあるが、あまり頻繁にそういうことがあると一歩引いて、むしろ彼女の話を聞くことに努める。

男はこんな時〝悪いクセ〟が出る

一方、男性はパートナーから、あるいは仕事で十分に評価されていないと感じると、バランスを崩し、次にあげるような三つの症状を段階的に示す。

①いっそう仕事人間になる
②自分の殻に閉じこもったまま、出てこなくなる
③高圧的に尊敬と感謝を求める

こういう態度は、一時的には男らしさをないがしろにされたつらさを忘れさせてく

れるかもしれないが、長い目で見ると、彼をいっそう軟弱にしてしまう。こうした男の態度はつらさに直面しないで済むから習慣になりやすい。だが、問題を解決するのにはほとんど役に立たない。

①いっそう仕事人間になる

家庭でいたわられていないと感じている時に男が最もよく示す行動の一つが、この「仕事人間になる」というものだ。前にも述べたように、女性の不満に出あうと、男は本能的に収入を増やそうとする。もっと働こう、もっと出世しようと駆り立てられる。しかし、どんなに成功しても、決してこれで十分ということはないので、自分の能力不足や失敗したことで自分を責めてしまう。

仕事に没頭することで、男は満たされない心の欲求から一時的に目をそらすことができる。彼は、一人で何でもやれる、自分には能力があると自分に言い聞かせることで、パートナーにないがしろにされた気持ちから目をそむける。

男は女性に日常的に感謝されていないと、自分の能力を仕事の結果だけではかるようになる。しかし、成功の欲求は、感謝が欲しいという欲求を紛らわすための代償的な欲求にすぎないので、たとえそれが満たされても彼自身は満足できない。

そんな時、彼は悪循環に陥っていると言える。つまり、仕事人間になればなるほど、彼は彼女のためになることをしなくなる。しかし、それをしなければ彼女に感謝してもらえない。

そして、たまたま彼女が感謝してくれたとしても、彼にはそれを喜ぶ感受性がなくなっている。感謝が感じられないと、それだけ彼は自分を能力のない人間だと責め、さらに不満をためていくというわけである。

この第一段階を通り過ぎると、否応なしに第二段階に入っていく。仕事から帰っても、仕事から家庭のことに頭を切り替えられないため、ますます自分の殻から出られなくなってしまうのである。

②自分の殻に閉じこもったまま、出てこなくなる

思うように仕事ができなかった一日の後で帰宅すると、男性はパートナーを避けてすぐ自分の殻にこもり、ストレスをほぐしてその日のやっかいな問題を忘れようとする。前にも見たように、男性がいっとき一人きりになりたがるのは、まったく自然なことだ。しかし、この場合は単なるストレスではなく、仕事がうまくいかなかったストレスまで癒さなければならないので、殻から出るまでに相当時間がかかる。

ところが、第二段階にいる男性はどうしてもプレッシャーを忘れられない。趣味を楽しんだり、ひいきのチームの試合をテレビ観戦したりしている時も、そのことが頭にちらついて、仕事のストレスからなかなか解放されないわけだ。

常日頃から女性がパートナーの男らしさを十分にいたわってくれない場合、彼は家に帰った時、ほとんどエネルギーを使い果たしてしまっている。だから、じっと殻に閉じこもって、明日に備えて自力でエネルギーを蓄える。

こんな状態の男性は、パートナーと積極的に関わっていこうとしない。心の底に自分が失敗者だという意識があるため、よい人間関係を築き上げようとする意欲が低下しているのだ。「失敗」は男にとって致命的だ。

男の真の欲求は、愛され、感謝されることである。しかしこの段階の男は、かえって無視された方がいいや、無視してもらった方が、くつろいだり、ひと寝入りしたり、テレビを見て家のゴタゴタに関わらなくて済む、と感じる。

怠惰を決め込んで疲れをとるのは彼の正当な欲求だが、パートナーの女性は「なんて怠け者なの」と思う。こう思われると、彼は余計に、彼女の頼みや欲求を聞いたり、それに応えたりすることができなくなる。

この段階の男性は何事も受け身で、率先してやらなくなる。好奇心をなくし無関心になり、人とのつきあいを求めず、一人で放っておかれるのを好む。そして、パートナーの女性は彼がちっとも協力的でないと不満をこぼすのだ。

ここで男性の第二段階と女性の第二段階を比べてみたら、女性も自分が第二段階からなかなか抜け出せないように、彼もそうだということがわかるかもしれない。

第二段階の女性は、一人で何でも片づけずにはいられなくなる。周りに支えてもらわなければ、肩の力を抜いてスピードダウンすることができない。女性ならほとんどの人に経験があるだろうが、しなければならないことが多すぎる時、負担に押し潰されそうな時ほど、一息ついたり楽しみの時間が持てないものだ。

第二段階の男も、これとまったく同じ心理をたどる。しかし、示す反応は女性とは正反対で、だんだんやる気をなくしていく。息抜きならいくらでもするが、パートナーに協力する意欲がまったく起こらない状態なのだ。つまり、男はやる気が起きなくて何も手を出せない状態、一方パートナーの女性は用事に駆り立てられているわけである。

私自身、精神面で男女が入れ替わる第二段階についてよく理解したことが、大きな利益になった。私は仕事がうまくいっていない時、かなり長いこと自分の殻に閉じこもっていることがある。出たくても、はまってしまって出られない。

私は殻から出るために、「自分に必要なのは感謝だ」ということを思い出す。

私は、体の全細胞が怠惰を決め込み、「休め、起き上がるな」と命じるのを押さえつけて、カウチから「えいやっ！」と立ち上がる。筋肉を鍛えるためにダンベルを上げるのと同じことだ。ちょっと太ったのを何とかしようとダンベルを上げるのは、面倒くさいから、なるべくならしたくない。しかし、いったん持ち上げてしまえば、気分爽快になるし、体が鍛えられる。

それと同じように、カウチポテトの気分でカウチにごろっとしていても、無理にでも体を起こして、妻が喜んでくれることを手伝うことにしている。たとえばゴミ箱を空にするとか、簡単なことでいいのだ。私が少しでも動けば彼女は喜んでくれる。すると、たちまち私も意欲が湧いてくる。

このテクニックがうまくいくのは、ボニーが私の努力にちゃんと感謝してくれるからだ。私が手伝いをしたら、「そんなの大したことじゃないわ。私なんか仕事から帰ってからずっと大忙しなのよ」なんて言わずに、きちんとお礼を言ってくれる。

彼女が私の協力に気づいてくれなかったら、私はすかさず、「ゴミを出しておいたよ」と言う。妻は「あら、ありがと」と一言返してくれる。

私は彼女との間では簡単に感謝してもらえることがわかっているので、自分の殻からすんなり出られる。いつも何かしら感謝されているので、また感謝してもらいたくなり、殻から出ていくのだ。

③高圧的に尊敬と感謝を求める

男らしさを支えてもらえず、殻から出られなくなってしまった男は、次に第三の反応を起こす。男らしさを殻の中に置き忘れたまま、彼の女性的な面が表面に出てくるのだ。こうなると、パートナーにいろいろ構ってもらいたくなる。ところがもちろん彼は男だから、その要求が高圧的に出る。

この段階でも男は感謝されたい欲求があるのだが、それが満たされないので、別の欲求で心の空白を埋めようとする。感謝を得たい真の欲求が、「僕を尊敬しろ」という形になって現われるのである。

この傾向を最もよく示しているのは、暴力的で酒びたりの父親である。彼らはよくこんなセリフで、尊敬を強要する。

「ここを誰の家だと思ってるんだ！　おれの家ではおれの言うことを聞け……」

第三段階にいる男は、大なり小なりこういう要求をする。この段階にいる男性が何か話せば、さらに硬直し、自分の正しさを主張し、高圧的になり、押しつけがましくなるばかりだ。男は口を開く前に胸に手を置いてよく考え、感情に走らないことだ。

この第三段階では、男がもっとコミュニケーションを求めることがある。そしてパートナーに気持ちを問いただしたりするが、いざ彼女が話し始めるとそれをさえぎって、自分の意見ばかり言いたがる。コミュニケーションを求めるところまでは女性的だが、自分の正しさを主張したり、どうしても相手に反論したくなるのである。

なぜ男は「自分が正しくないと気が済まない」のか

さて、第三段階の男性と、話を聞いてほしい女性との違いは、男性は気持ちを話したくなっている時、自分が正しくないと気が済まない、ということだ。女性は気持ちを話したい時、一般的に相手に話を聞いてわかってもらうだけで満足し、相手に同意してもらうことまでは求めない。

前に述べたように、男性があまり繊細な気持ちを表に出すと、女性はすぐにうんざりする。特に男性が怒りをあらわにした場合、女性は心を閉ざす。「彼には安心して話ができないわ」と会話を拒否し、心を閉ざしてしまうのだ。つまり、彼女の方が突然自分の殻に閉じこもり、彼の方がその殻に無理やり侵入しようとすることになる。

私のセミナーに参加する〝第三段階にいる男性〟は、みな同じような不満を訴える。よくある例を一つ見てみよう。

セミナー会場でティムはむっとした表情で立ち上がり、話し始めた。彼の不満は夫婦のことについて、彼には改善したい気持ちがあるのに、奥さんにその気がない、ということだった。

「いま、女性は話をしたがるものだとおっしゃいましたが」と彼はぼやいた。

「私の方は話すことがたくさんあるのに、妻が会話を拒否するんですよ」

彼の声には自分の正しさを押し通そうとする調子があった。それに気づいた私は、彼の問題がすぐわかり、「奥さんに、あなたは聞く耳を持たない、そういうふうじゃ話なんかできないわ、と言われたことがありませんか?」と聞いてみた。

「あります。妻はそんなことばかり言います」

彼は続けた。

「だけど、まったくそんなことはないんですよ。私はちゃんと話を聞きますから。私の方がたくさんしゃべりたいんです。先生が男性はこうすべきだと言われたことを、私は全部していますす。掃除、ゴミ出し、デートの段取り……その他にも女性の求めることは何でも。でも彼女は自分の殻に閉じこもったままなんですよ。それが彼女の答えなんです」

「そうですね、じつはそれが彼女が会話を拒否する理由です。あなたは話を聞いてあげていないのです」と私は言った。彼は反論し始め、私に間違いを認めさせようとした。

「いや、そんなことはない。ちゃんと聞いてます。私は協力的なんだから。私は彼女の話も聞くけど、私の話も聞いてほしいんです」

「あなたはきっと、奥さんと話す時も、いまみたいな調子なんでしょう」

私はねばり強く言った。

「あなたが反論するから、奥さんは話ができないと思うのです。話を聞いてもらいたい気分になっていたとしても、そんな調子で言われたら、言葉が引っ込んでしまいますよ」

女性は、特に自分の気持ちを打ち明けるとなったら、自分の方が正しいと主張したり、押しつけがましい男性には、安心して話ができないのだ。

だから、彼女が、「すぐに言い返すんだもの、あなたは。とても話す気になれないわ」と言ったら、男は、「……そうかもしれないな」とうなずくべきである。

女性は話をしたくない時に反論されたら、心を開けないし、話もできない。女性が安心して心を開き、女らしくなれるように、男性は感情をこらえることを学ぶことだ。これはなにも、男性は自分の感情を表に出したり、話したりしてはいけないということではない。彼女の手に負いかねるような否定的な感情を持ち出して、彼女に重荷を負わせてはいけないということだ。

男性は感情をあらわにする代わりに、自分の殻の中でじっくり考えた方がいい。頭を冷やしたら、その後は解決策に集中して、問題自体は忘れることだ。求めている感謝が得られるような、何かをする方法を考え出した方がいい。

❋心がこわばらないための〝予防薬〟あります

パートナーの愛が得られないと、人は優しくて気のいい本来の自分とは正反対の顔を見せる。パートナーに感謝されないと、どんな心優しい人でも冷酷になる。パートナーに失望させられると、人を疑わない素直な人でも心をぴったり閉ざしてしまう。非常に辛抱強い心のしなやかな人でも、我慢の限界を超えると気短になり、硬直した態度になる。

これが「愛が憎しみに変わる」ということなのだ。男も女も、精神面で男女が入れ替わってしまうと、本来の自分ではないもう一人の自分が姿を現わし始める。

いつまでも愛の消えない関係を築くには、バランスを崩さなくて済むようないろいろな方法を身につける必要がある。

たとえば私は、いまでも時々威張り散らす独裁者になってしまいそうになるが、最善を尽くして、感情が爆発するのをこらえる。そんな時は私の中の男性と女性の面がバランスを崩しているので、もとに戻すためにいろいろなことをしてみる。

感情をあらわにする代わりに、殻に引っ込み、機嫌が直るまでその中でじっとしている。そして殻から出たら、ボニーの感謝が得られるように手伝いをする。感謝してもらえないと不平を言うのではなく、それが得られるように自分から動いてみる。

一歩進んだつきあい方のテクニックを実践していくことによって、精神面での男女の逆転という現象は、しだいに乗り越えられるようになるはずだ。

7章

男と女がうまくいく究極の“愛のステップ”

……あと一歩、パートナーの心に近づくために

これまでのつきあい方より、一歩進んだつきあい方のテクニックを学ぶのは、ダンス・ステップの練習に似ている。始めはぎごちなくて、混乱したり、何だか不自然だと感じることもあるし、時にはパートナーの足を踏んづけてしまうかもしれない。とてもロマンチックな気持ちになどなれないだろう。

しかし、いったんステップを自分のものにしてしまえば、月の光を頼りに、音楽に合わせて流れるように踊れるようになる。

❋「ギブ・アンド・テイク」のリズムを忘れないこと

男が女性の愛し方を心得ていれば、女性は情熱的になれる。女性が男性の愛し方を心得ていれば、男は落ち着いて彼女だけを見つめていられる。女性から感謝してもらっている男は最大限に能力を発揮し、彼女に愛情深く接することができるようになる。

ダンスと同じように、女性が二歩前に出たら、男性は二歩後ろに下がる。男性が二歩前に出たら、女性は二歩下がる。このギブ・アンド・テイクが男と女の基本的なつきあい方のリズムである。

また別の時には、二人で引き下がり、また一緒に前進することもあるだろう。どんな人間関係にも、互いに相手に与えるものがなくて、一歩身を引いて優しい気持ちになれるよう充電しなければならない時があるものだ。

ダンスには、女性が男性の腕の中に優雅に飛び込んできては、くるりと回転しながら離れるステップがある。二人の関係がうまくいっていると、これと同じことが起こる。つまり家に帰ってきた男を女性が嬉しそうに出迎えるのが、彼の腕の中に飛び込む時。彼に心の準備をさせてから、非難がましくない調子で自分の気持ちを話すのが、くるりと回転して彼から離れる時である。

ダンスをしている時は、男性は女性をリードすることによって自立心と自主性を感じ、女性は彼に上手にリードしてもらうことで愛を実感する。

こういったチームワークは、二人の愛を育てる上で欠かせないものである。そして、二人の関係がうまくいくように、新しいダンス・ステップを覚えることによって、恋に落ちた当初の情熱をいつまでも育てていくことができる。

そして、二人が情熱を保ち続けるためにマスターしたい五つの大切なステップがある。

これから、この五つを一つずつ詳しく見ていくことにしよう。

1　男と女は違うからこそ惹かれ合う

男と女が魅力を感じ合うのに一番大切な要素は、互いに異なる性質を持っていることである。磁石のＳ極とＮ極が引きつけ合うように、男性は男らしさを、女性は女らしさを保つことによって、互いに変わらぬ魅力を感じ続けることができる。

男性はパートナーが男らしい気持ちにさせてくれた時に最も充実感を覚え、彼女に惹かれる。それと同じように、女性は彼が女らしい気持ちにさせてくれた時に最も彼に魅力を感じる。精神面において男女の役割の逆転が起こらないように気をつけていれば、相手にアピールする魅力をいつまでも失わずに済むわけである。

女性は、自分の女らしさに栄養を与えていたわってやらなければいけない。これは独身であっても結婚していてもそうである。次に女らしさをいたわる具体的なアドバイスをリストアップしてみよう。

◆一日の出来事について目標達成志向ではない話し方で話す時間を、いまよりも余計にとる。これは、問題解決してくれることを期待していない誰かと一緒に散歩したり、お昼を食べながら行なうといい。

◆毎週マッサージやエステに通うのも、とてもいいことだ。セックス抜きで体に触れられることは、心身をリラックスさせ、快感によって自分の体を再確認する方法として非常に大切である。

◆友達や親戚に電話をかけたりして連絡を取り合うこと。家庭を持つと、どうしても友人と話す時間がなくなってしまうが、気の合う友人と近況を語り合う時間をつくろう。

◆定期的に運動や瞑想、ヨガ、日記をつけたり庭いじりをしたりするのも、とてもいい。理想を言えば、一日に二回、二十分から三十分ほど自分のためだけの時間をつくりたい。

◆働く女性の場合は、女らしさを支えてくれる仕事のスタイルをつくり出すこと。人一倍自立心を発揮して一人で何でもこなすよりも、始めから周囲の手助けを当てにする訓練をする。男性に重い荷物を持ってもらったり、ドアを開けてもらう機会があれば、その好意に甘えよう。家族や友達の写真を職場の身の回りに置く。可能であれば美しいものや花を身の回りに飾る。

◆少なくとも一日に四回、家族や友人に笑顔をなげかける。

◆暇を見つけて、手助けしてくれた人にちょっとしたお礼のカード（ハガキ）を書く。

◆通勤している場合は仕事帰りにルートを変えてみる。毎日毎日同じルートを使って、なるべく効率よく目的地にたどり着こうとするのを避ける。

◆住んでいる町を、旅行者気分で歩いてみる。定期的に小旅行に出かける。家から離れて見知らぬ土地を訪ねたり、休暇をのんびり過ごしたりする。

◆セラピストのもとを訪れて、気持ちを吐き出してみる。

◆一週間に一晩、自分の時間をつくる。映画や劇場に出かけたり、ゆっくり熱いお風呂につかるのもお勧めだ。心地よい音楽をかけてキャンドルを灯し、素敵な本を読むか、明かりを落としていろいろな空想を楽しむのもよい。自分が一番楽しめることをする。

◆片づけなければならない用事を洗いざらいリストアップし、その一番上に、大きな文字で、「これはいますぐにしなくてもいい仕事」と書く。ひと月に少なくとも丸一日は完全に休む日をとって、何の問題も解決しない。あなたが母親なら、丸々一日休みをとって、家と子供から離れる。

ここにあげたすべてのことを一度にしようとすると、それ自体負担になる恐れもある。しかし、このリストを忘れないようにどこかに貼っておけば、少しずつだが確実に実行できるようになると思う。

意識して女らしさを大切にしてやらないと、いまの女性はどうしても男性的になってしまい、知らず知らずのうちに、パートナーとの関係を壊してしまうだけでなく、自分の女らしさまで駄目にしてしまう。

2 二人の間に〝新鮮さ〟を失わない努力を

カップルはいつまでも新鮮さを失わないことが肝心である。好きな音楽でも続けて百回も聞いたらイヤになるのと同じで、互いに成長し変化していかなかったら、相手に対する興味をなくしてしまうのだ。

♥「あなただけの世界」を持つ

パートナーを愛しているからといって、いつもべったりくっついていることはない。いつも一緒にいると、二人の関係が退屈でマンネリになる。友人と楽しく過ごしたり、何かの活動に興じたりすれば、二人の間に新鮮な空気を入れられる。定期的に友人夫婦を呼んで夕食をともにするというのも、いいアイデアである。

♥「感謝」は愛の成長剤

男性は感謝されないと成長が止まる。パートナーと積極的に関わらず、何も率先してやらなくなり、日常生活がパターン化し、柔軟性をなくす。

私と妻のボニーはとても前向きないい関係を築いているが、これは、彼女が家の手伝いをいっさい私に期待しないからだ。私が行なう手伝いはどれも、やって当たり前の義務ではなくて、少しでも手伝えば、彼女が「あら、そんなことしなくてもいいのに」と嬉しがってくれる、彼女へのプレゼントなのである。

これは、義務感から協力するよりも、もっとたくさん手伝おうという意欲を私に持たせてくれる。

♥二人だけの〝スペシャルな時間〟を持つ

二人の間に〝特別な時間〟をつくることも大切である。男性が意識してパートナーを日常生活から引き離してやれば、彼女もいたわりを実感できる。

お祝い事をする、パーティーを開く、プレゼントやカードを送る……これらは時の経過を確認する行為である。どれも女性にとってはとても大切なことだから、折に触れて男性がこういった思いやりを見せてくれると、女性はとても喜ぶ。

男がパートナーの誕生日や、記念日、バレンタインデー、その他の祝日を覚えていてくれるのは、女性にとって大きな喜びだ。このような日に何か気をきかせてあげれば、彼女は毎日の雑事から解放され、愛されている実感を持つことができる。

♥ありふれた毎日にちょっとした変化の「水やり」を

型にはまった生活というのは、情熱を殺してしまう原因の一つである。同じことの繰り返しに居心地のよさを感じていたとしても、たまにはそれを破ってみるのもいい。時にバカげたことをしてみるのも、記憶に残る特別な思い出になる。

たとえば、私と家族が旅行をした時のこと。ワシントン・モニュメントの前でごくごく当たり前に家族写真を撮る代わりに、私は歩道に寝転がり、その姿勢からシャッターを切った。みんなげらげら大笑いをしたが、おかげで忘れられない思い出になった。

結局、二人の間の情熱を失わせないものは、愛の中で成長することである。二人がともに生活しながら、笑い、泣き、学んだ結果、互いを愛し信頼することができたら、情熱も消えないのである。

3　相手を気遣う〝感受性〟を磨こう

感受性がいきいきしていなければ、愛を感じ続けることはできない。二人の関係の中で感情や弱さを持つことが許されないと、情熱は急速に冷めていく。女性は自分の感情について話をし、それを聞いてもらわないと心がときめかないし、一方で男は行動に感謝されないと、彼女のために何かしようという気になれない。

♥彼なりの「努力」を閉め出していませんか

信頼関係の中で成長する秘訣は、パートナーに完璧を求めないこと、また、彼を支えることで自分も愛されるのだという信念を持つことである。男は女とは違うのだと理解すれば、自分と同じ愛情表現を彼がしてくれなくても、女性も彼の愛に信頼が置けるようになるだろう。

女性も時がたつうちに、男性なりの愛し方というものがわかってくるだろう。

♥あなたがいてくれてよかった——

人は、切実に誰かを必要としている時に情熱を一番強く感じる。

ボニーと結婚した当初、私は彼女を喜ばせることにそれほど熱心でなかったが、何年かすると彼女の喜ぶ顔を見るのがとても好きになった。彼女に感謝されると一日中気分がいい。彼女と愛し合う時は、彼女のいない人生などとても考えられないとしみじみ感じる。

私がいつもそばにいて手を差し伸べていたので、何年かするとボニーも私の愛を気兼ねなく求めるようになった。私の支えに頼るたびに、彼女は情熱を感じている。そして、ボニーは現実的でもある。私も完璧ではないこと、常に彼女のそばにいてあげられるわけではないことを承知してくれているのだ。

4 〝癒しの時間〟で愛が深まる

愛を与えてくれないパートナーを非難してしまう時は、相手はたまたま愛が与えられない状態なのであり、自分はないものねだりをしているのだと考えた方がいい。

そして、相手を非難して態度を変えさせるのではなく、自分自身を変えることに専念しよう。心を開いて相手を許す気持ちになったら、不満の原因となった問題を解決する努力をすればいい。

♥ヒーリング・レター・テクニック

このテクニックを数分間実践するだけで、私はとらわれている否定的な感情から解放され、相手を許せるようになる。

私はもう何年も、このテクニックを様々に形を変えて使ってきたが、いまでも優しい気持ちになれない時には大いに力を発揮してくれる。男性にとっても女性にとっても効き目のある方法である。

パートナーに不満をぶつけずにはいられないとか、彼の態度を変えさせたいと思ってしまう時にこのテクニックを使えば、彼が殻から出てくる前に自分を取り戻すことができるだろう。

ステージ1

まず、パートナーに向かって言いたかったことを洗いざらい書き出す。

あなたを怒らせているもの、悲しませているもの、心配させているもの、後悔させているもの、この四つを書く。書いたら、それぞれの感情について数分間じっと考える。

この四つの中で感じていない感情があったら、その気持ちを想像して書く。たとえば、怒りを覚えていなかったとしたら、「もし私が怒りっぽかったら、……と言っていたかもしれない」という具合に書けばいい。それぞれの感情につき二分間考えて書くこと。

四つの感情をそれぞれ二分ずつで書き出したら、その後また二分を使って、あなたの要求や願望を書き出し、最後にサインする。ここまでたった十分。これで完成だ。ともかく、あまり時間はかけないようにする。練習すれば、この作業はすらすらできるようになる。

ステージ2

ここでは、あなたがパートナーの口から聞きたいと思っていることを、パートナーになり代わって、自分宛てに書く。この自分で書くパートナーからの手紙は、パートナーと一緒に書いて、実際にその内容をパートナーの口から聞いたと考えること。自分の言い分を聞いてもらえたと思える言葉を書く。

書き出しは、相手になり代わって、「気持ちを聞かせてくれてありがとう」と書く。次に、「あなたの（あるいは君の）気持ちはよくわかった」と続け、「私（僕）が間違っていた、これからはもっと協力的な態度になります」としめくくる。実際にパートナーがそう言ってくれなくても、想像をふくらませること。

この返事はできるだけ三分以内で書くようにしよう。自分の気が済むような言葉を簡単に書き出すこと。パートナーがそんなことは実際に言ってくれないにしても、手紙の文句で気が軽くなるはずだ。

ステージ3

最後にパートナーが実際にあなたの言い分を聞き入れ、謝ったと仮定して、それに対するあなたの返事を二分で書く。ここで書く許しの手紙は、できるだけ具体的に、これこれの件で「君を（あなたを）許す……」と書く。

まだまだ許せない気持ちだったら、許すことは、必ずしも相手の行為に同意することではないのだ、と考えればいい。相手を許すのは、「あなたは確かに間違っていた。でも私も、あなたを愛したり、共感したり、理解できなかった否定的な感情を水に流しましょう」ということなのだ。

自分自身が恨みがましい気持ちになっている時、あるいはパートナーが口をきいてくれない時、そんな時にこのヒーリング・レター・テクニックを実践すれば、気分がすっきりする。気分がよくなれば、チャンスがくるのをじっと待って、二人とも満足がいく方法で、相手に気持ちや欲求を話すことができる。

5 パートナーの心にきちんと届く愛の表現を

女性は基本的に、パートナーが精神的・物理的の両面でサポートしてくれた時に愛を実感する。一回当たりのサポートの量は問題ではなくて、日頃からまめにサポートしてくれると女性は喜ぶ。いつも変わらずに自分を愛してくれると感じた時に、女性は愛されている実感が持てるからだ。

女性のことを理解していない男は、いきなり大きなことをして彼女を満足させようとしたり、そうかと思えば何週間も彼女をないがしろにしたりする。いいコミュニケーションが二人のいい関係を築く基礎だとすれば、ロマンスはデザートだと言ってもいい。男性のちょっとした気遣いで、女性はとても幸せな気持ちになれるのだ。

♥男もこんな時、ロマンチックな気分になる

男がちょっとしたことをしてくれると、女性は、「君の気持ちはよくわかるよ。君が何を好きか知っているよ。君のためにいろんなことをしてやりたい。いつでも助けになるよ」といったメッセージを受け取り、愛されていることをしみじみ実感できる。

しかし、男の愛の感じ方はまた違う。男は、彼女が彼によって十分満たされていると何度も伝えてくれた時に、愛を実感する。彼女の機嫌がいい時にも愛を感じる。いいお天気ねと彼女が天候を喜ぶのにさえ、彼は少々誇らしさを覚えるのである。男はパートナーが満足している時が一番幸せなのだ。

女性は花やチョコレートといったもので幸せを感じるが、男はパートナーに感謝された時にロマンチックな感情に満たされる。だから、女性にちょっとしたことをしてあげてとても喜んでもらえた時に、男はロマンチックになる。

男がパートナーのために何かしてあげて、それで彼女が満足したら、二人が勝利したことになる。私が薪《まき》を運び入れて火をおこすと、ボニーは私に大切にされ、いたわられていると感じ、彼女のロマンスの火がかき立てられる。私もそれが嬉しくて、誇らしい気分になる。

だが、もし私がソファにごろっとして、ボニーが薪を運び入れ、火をおこすのを眺

めているだけだとしたら、手間は省けるし、彼女に感謝するかもしれないが、二人の気分は盛り上がらない。女性が男性の面倒を見ると、まったく逆さまのことが起こるのだ。

♥パートナーを大切にする人は仕事でも成功できる

女性は、自分が他の女と比べられていると感じたり、自分を他の誰かと比べずにいられない気持ちになったりすると、心を閉ざしてしまう。

女性は、パートナーが浮気をしている、あるいはしているかもしれないと察知すると、心にぴしゃっと蓋《ふた》をする。女性は非常に繊細なバラの花のように、君だけを見ているという、男性の透き通った清潔な水を与えてもらわないと、心の花びらを一枚一枚開けられない。

私は結婚した当初、ボニーにずっと私だけを見つめてほしいと頼まれ、「そうするよ」と約束したことがあった。その後、浮気の誘惑を一つひとつ退けるたびに、年々ボニーへの気持ちが強くなっていった。ずっと相手だけを見つめることで、彼女だけでなく、私自身が得をしたわけだ。

ボニーに、「君は僕にとって特別なんだよ」という気持ちを送り続ければ、それだけ彼女も私を大切に思ってくれる。そして、彼女だけでなく、私と一緒に働いているスタッフも私を信頼してくれる。

私は、自分の著作が大変な成功を収められたのも、読者のみなさんが私の言いたいことに信頼を寄せてくださったからだと、確信している。妻や家族に信頼されている男は、周りの人間にも、あいつは信頼に足る人物だと思ってもらえるものだ。浮気をしないでずっと一人の相手を守り通せば、男性は自分が強くなれるだけでなく、最高度の信頼を寄せてもらえる。

アメリカを代表する啓蒙家ナポレオン・ヒルは、アメリカの成功した五百人の男性に、「どんな資質が成功をもたらしたと思いますか」とインタビューした。驚くことに、全員が三十年以上にもわたって、奥さんだけを一途に愛し、守ってきたというのだ。

インタビューに登場する成功を収めた精力的な男性はみな、何十年も一人の女性だけを一途に愛し続ける方法をどこから学んだのだろう。彼らは相手に対する性的な情熱が消えないだけでなく、浮気をする必要も感じないそうだ。奥さんを一途に愛し、情熱を育てていくことによって、彼らは自分の能力を伸ばし、一事を成し遂げた。

とてもシンプルなこの愛の秘密に気づけば、男は大いに意欲が湧いてきて、成功できるはずだ。

このインタビューは何年も前に、男性だけを対象にして行なわれた。いまの時代なら、女性もパートナーとの関係を良好に保つことによって仕事にも能力を発揮し、成功できると思う。

♥彼とのセックスで気をつけたいこと

女性にロマンスが大切なように、男には性的な満足が大きな意味を持つ。男はパートナーが自分とのセックスに満足しているか常に気にしている。そして、セックスを拒否されると、男の自尊心はとても傷つくのだ。

と言っても、女性は彼に求められたらいつでも応じなければいけないということではない。ただ、セックスについて話す時は、相手を思いやってほしいのだ。彼が誘いかけてきた時にその気がなくても、ただノーと突っぱねるのではなく、「私の一部はその気があるんだけど、でもまた後で楽しみたいわ」と言う。こんなふうに彼を思いやれば、誘うたびにはねつけられたという気持ちを抱かなくても済む。

コミュニケーションとロマンスが女性の愛を実感する方法だとしたら、セックスは彼がいつまでも愛を感じ、情熱を長続きさせる方法なのだ。

＊男と女の〝バランスの力学〟

カップルは互いの違いをいたわり、尊重し合わなければいけない。そもそも二人がお互いに惹かれたのは、相手が自分とは違う面を持ち、自分に欠けたところを補ってくれたからだった。

ボニーと私はつきあい始めた頃、お互いに二人がどんなに違うかにまったく気づかず、二人の共通点ばかりに目がいっていた。二人とも精神的な人間であり、セックスを楽しみ、散歩、テニス、映画が好きで、共通の友人が大勢おり、二人とも楽天的で、心理学に興味があった。二人の共通点をあげれば、嬉しくなってしまうほどたくさんあった。

しかし結婚したとたん、二人の違いが明らかになった。私は割とさばさばした性格で、ボニーは情緒的だ。私は目標達成志向で、彼女は二人のつきあい重視。彼女が問題について話し合うのが好きなら、私はさっさとそれらを解決するか、とりあえず考えるのを先延ばしにする。これらを含めた男女の一般的な違いは、男女が互いに相手を惹きつける魅力になっているのだが、これらの他にも、必ずしも性的な違いに基づかない違いも山ほど出てきた。

ボニーは寝室は涼しいのが好きで、私は暖かくしておくのが好きだ。彼女はアンティークに目がないが、私の好みはハイテクやモダン。彼女は家計簿の、最後の一セントまで帳尻を合わせなければ気が済まないが、私はおおざっぱに四捨五入してだいたいの合計額を頭の中ではじき出す。彼女は早起き、私は宵っ張り。彼女は家で食べるのが好きだが、私は外食党。彼女は制限速度をきちんと守るが、私は飛ばす。彼女は倹約家、私はぱっぱと使う方。結論を出す時は彼女はゆっくり、私はせっかちだ。

彼女は古いつきあいにいつまでもこだわるが、私はさっと忘れて前に進む。私には大きな夢があるが、彼女はいまの生活に満足している。私は電気製品が大好きなのだが、彼女は庭いじりや、自然が好きだ。

彼女が美術館を訪れるのが好きなら、私はエレガントなホテルが好き。私の家の好みは新しい、モダンな家、しかし彼女は年月を経た、可愛らしい家が好みだ。私が三百六十度ぱーっと開けた眺めが好きなら、彼女は森の中にいるのを好む。

こういった様々な違いは、二人のいさかいを生む可能性もあるが、ともに成長していくチャンスをつくってもくれる。私たちは一般的に、ある資質を秘めている相手に魅力を感じる。互いに好みや流儀が違えば、私たちは自然に相手に助けを求めて、自分のバランスをとることができるのである。このバランスを見つけることが、情熱と魅力を生み出す。

＊〝自分だけの世界〟がある方が相手を尊重できる

お互いに満足いく関係を築くために、男と女とではパートナーシップのとらえ方が違うことを覚えておくといい。

女性は二人で力を合わせて同じ目的に向かって協力している時に、パートナーシップを感じる。そこには上下関係もなければボスもいない。女性は互いに気持ちを打ち明け合いながら、一緒に結論を出していくものなのだ。

しかし、男はパートナーシップをまったく違う角度からとらえる。彼は自分の管轄領域というものを持って、そこでは自分が主人になりたがる。パートナーの女性が彼女の管轄領域を持って、そこで主人になるのもいっこうに気にならない。彼女にあれやこれや指図されるのはまっぴらだが、彼女のしていることに鼻を突っ込む気はまったくない。

つまり、男にとっては、二人が別々に責任を背負って、それぞれの仕事をこなしていれば、二人はパートナーとしてチームを組んでいることになる。この違いを理解すれば、二人は望みのままに関係をつくり出すことができる。

これは、セックスをたとえにとって考えるとわかりやすい。セックスする時は、男は自分の世界を出て、彼女の世界に入る。これは二人の喜びをかき立てる。彼はまた、自分の世界（あるいは自分の管轄領域）に退いて、彼女を一人の世界（あるいは彼女の管轄領域）に置き去りにする。それから彼は繰り返し彼女（の世界）に出たり入ったりする。

二人とも満足できる解決法を見つけるためには、これと同じように、カップルがそれぞれはっきりした管轄領域を持ち、男が時々彼女の世界に入っていって、対等の相手として彼女を助けるといい。

彼が彼女の管轄領域で協力するのが上手になってきたら、少しずつだが確実に、彼女を自分の管轄領域に招き入れられるようになる。

何事もバランスが大切である。二人の関係を身勝手な関係にしないように育てるには、二人がそれぞれに人生に目的を持つことだ。また情熱を育てていくためには、二人の共通の目標に向かって協力することが大切である。

❋「どこまで許せるか」で〝愛の深さ〟がわかる

さて、二人が互いに心を開いて、いつまでも仲睦まじくあるために一番大切なテクニックとは、相手を許すことである。

たとえば、あなたがとても大切に思っている人が大きな間違いをして、あなたが傷つけられたとしよう。そんな時に、あんなことをするなんてひどすぎる、絶対に許さないと決めつけてしまったら、自分の愛する能力を閉ざしてしまうことになる。

その人のことを許してあげない限り、その人を忘れようとしても、傷はずっと痛み続ける。許すというのは傷を忘れることなのだ。

誰かを愛すれば愛するほど、その人を許してやらないことで苦しむのはあなた自身である。多くの人が、愛する人を許すことができない苦しさに悩んでいる。愛する人を愛することができない苦痛というのが、苦痛の中でも一番つらいものなのだ。

人が意固地になって、傷ついたことにこだわったり恨んだりするのは、なにもその人に愛がないからではなく、単に許す方法を知らないからである。もし愛のない人なら、誰かを愛せなくなったからといって、ちっとも苦痛など感じないはずだ。人は愛があればあるほど、それだけ許さないことによって苦しまなければいけないのだ。

❋〝責める〟より〝許す〟方に力を注ごう

私たちは誰かを許すというと、その人のしたことは結局大したことではなかったのだと考えようとするところがある。

たとえば、私が約束の時間に遅れて、あなたがそれに腹を立てたとしよう。あなたは、遅れたことについて私に正当な理由や説明があれば、私を許すだろう。

来る途中で車のタイヤがパンクして、それで遅刻してしまった、と私が説明したら、あなたはもっと許す気になるだろう。さらに、隣の車が爆発したので、死にかけた子供を救おうとして遅れた、と私が言ったら、あなたは即座に私を許してくれるに違いない。

しかし、真の許しというのは、釈明や言い訳の余地のない、本当に傷つけられることが起こった時にこそ、必要なのである。

真の許しとは、相手が大きなミスをしたことを確認し、その後で、それでも相手がまだ愛し尊敬すべき人であると肯定することである。先ほど言ったように、その行為が釈明できるとか、納得がいく、というものでは決してない。

次にあげる十六の項目を読む前に、しばし、ほぼ絶対に相手を許せないと感じたシチュエーションについて考えてみていただきたい。そして、あなたを傷つけたその人が目の前に立っていると想像しながら、これらの項目を声に出して読んでほしい。

1 あなたのしたことはみんなあなたの責任で、私は悪くない

2 あなたのしたことについて私には責任がない

3 あなたのしたことは間違っていたし、私はこんな仕打ちを受けるいわれはない

4 あなたのしたことには言い訳の余地はない

5 この件についてはどんな言い訳も聞きたくないし、もう二度とこんな仕打ちをしないでほしい

6 こんなことをされるのは釈然としない

7 私はとても傷つけられた

こう言った上で、

8 この件でいつまでもあなたを責めたくはない

9 あなたはひどいことをしたが、それでも私にはあなたは心の底ではいい人なのだと確信することができる

10 誰も完璧ではないし、あなたが最善を尽くそうとしているのを認める

11 あなたを愛することを止める気持ちはない

12 あなたをこれからも愛し続けるが、こんなことはもうないようにしてほしい

13 信頼を取り戻すのは大変だけど、あなたにもう一度チャンスをあげる

14 私自身はもうあなたにチャンスをあげる気持ちはないけれども、他の人たちとあなたがうまくやれることを願っている

15 あなたのしたことはもう忘れるので責任を感じなくてもいいし、水に流して仲直りしよう

16 私の気持ちは自分で責任を持つし、私はこのままの私で愛してもらえると思っている

許すことができるようになったら、苦しみが取り除かれ、心が楽になる。

「あなたを許します」、この短い言葉によって、いままでに多くの人の人生や人づき

あいが、驚くほど救われてきたのである。

＊〝わだかまり〟はこうすればきれいに消える

はじめのうちは、こんな言葉を書き出したり、考えたりすると、役に立つかもしれない。

「誰だって完璧じゃないんだから、あなたを許してあげる。あなたのしたことは間違っていたし、私はあんな仕打ちをされるいわれはなかった。あなたのしたことは間違いだったけれど、許します。完璧ではないあなたを許す。私をいたわってくれなかったことも、私を尊重してくれなかったことも水に流そう。あなたに分別がなかったことも許そう。あなたが相手を尊重して、節度を守れたらいいのに。あなたのした間違いを許しましょう」

十字架にかけられたキリストが人々に語った言葉の中に、相手を許すということがあった。人は許さなければ苦しみを乗り越えて死から立ち上がることはできない。キリストは、「神よ、彼らを許してください。彼らは自分のしていることがわかっていないのです」と言った。この短い言葉の中に、許すにはどうすればいいか、その秘密が込められている。

私が初めて純粋に人を許した時のことは忘れられない。

娘のローレンが二歳だった時のことだ。娘は自分の皿の食べ物をおもちゃにしていた。私が何度もいけないよと言い聞かせるのも聞かずに、彼女ははしゃぎ続け、急にスパゲティを両手にいっぱいつかんだかと思うと、それをカーペットの上にぶちまけた。

娘が粗相をしたこと、それをきれいにしなければならないことに、私は内心カーッとなったが、同時に、完全に彼女を許してもいた。内心カンカンだったものの、私の心はしょうがないなあ、という愛情でいっぱいだった。

私はどうしてこれがキリストの、「神よ、彼らを許してください。彼らは自分のしていることがわかっていないのです」という言葉につながるのか、どうしてこの言葉を思い出したのか、考えてみた。

娘がスパゲティをこぼした時に簡単に許せたのは、娘に自分が何をしているのかという認識がなかったからだ。彼女は、何か芸術的なことでもしているつもりだったのかもしれない！　それはともかく、私に迷惑をかけていることなど、まるで知らなかったろう。

✻〝優しい気持ち〟が男と女をもっと素敵に変えていく！

私はカウンセラーとして、人は許す方法を知らないと、優しい行動をとったり、優しく相手に接したりできない、ということをイヤというほど見てきた。

心の奥底では、誰も愛する気持ちを押さえ込んだり、相手をなじったりしたいわけではない。しかし、誰かに無礼なことをされた時には、そんなやり方で対処するしか方法を知らないのだ。

本書や私の他の本でも述べた男女の違いについての考え方は、基本的に許しの視点から書いているので、多くの人々の役に立ってきた。

私の本では非難される人は誰もいない。男は、「火星」から来て女性を知らないだけなのだから、非難されない。女性も、「金星」から来て男性を知らないだけなのだから、非難されない。

私たちが問題を抱えてしまうのは、自分が何をしているかわからないからだ。この事実を胸に刻み込んでおけば、自分のミスもパートナーのミスも大らかな気持ちで許せる。

あなたが誰かを許すたびに、天使がほほえむ。心を閉ざしてしまう代わりに、相手を愛し続けることを選べば、私たちのこの争い事ばかりの暗い世の中に、わずかでも神の光を灯すことができる。人が背負っている重荷を軽くし、彼らも許すことができるように力を貸してあげられる。

私たちは生まれながらに心に愛を備え、満たすべき目的を持っている。人間関係の中に苦しみがあるのは、私たちが愛を分かち合ういい方法を知らないからにすぎない。つまり、私たちにはテクニックが欠けているだけなのだ。

時に愛する気持ちが外にあふれてこないこともあるが、これは、愛が心の奥深くにしまい込まれたり、心の中の要塞に封じ込められたりしているからである。壁の後ろに隠れていれば、誰にも傷つけられずに済む。しかし、愛にじかに触れることはできない。

多くの人が、自ら自分の心を牢獄に押し込めてしまっている。そういった人たちは人と分かち合う愛を、どうやって自分の中に見つけていいのかわからないのだ。

私たちは誰でも生まれながらに愛する能力を持っている。その能力を生かして自分自身とパートナー、あるいは将来パートナーになるかもしれない人に愛を与えることだ。人間関係が楽になれば、あなた自身もリラックスできる。

あなたの人生の旅において、私の本をしばし旅の友達にしてくれたことに感謝します。あなたと愛する人がいつまでも色あせない愛を経験し、生きているうちに愛で満たされた世界を見ることができますように。

訳者あとがき

実際、この本を読むと読まないとでは、これからの人生に途方もない差がつくだろう――

大島　渚

私が訳したジョン・グレイ博士の三冊の本『ベスト・パートナーになるために』『ベストフレンド　ベストカップル』と『愛が深まる本』はいずれもたくさん版を重ね、多くの読者に喜んでいただいている。

時々、未知の読者から手紙をいただくし、先日は成田空港で十数年ぶりに会った古い友人に、「大島さん、あんな本を出されちゃ困りますねえ」と声をかけられる始末だった。

彼は奥さんにグレイ博士の本を読めと勧められ、パラパラと目を通したのだろうか。どうやら、「この本は女性に都合よく男性を改造するために書かれている」と誤解したらしい（こんなところにも、グレイ博士がよく言う、男性は女性に指図されたり構われたりするのを嫌うという特徴がはっきり出ているのがおかしい)。

私は、まあそう言わずにじっくり読んでみなさい、と言って笑って別れたが、実際この本を読むと読まないとでは、彼の人生の後半が幸せであるか否かに分かれるのになあと思ったのだった。


「人生で必要なことはすべて幼稚園の砂場で学んだ」という言葉がある。人間はもともと人生における男と女の役割については、父と母を見ていれば幼稚園の頃までに、なにも特別に教えられる必要もなく、十分に学習できていた。

父は外へ出て働き、妻子を養う糧を家に持ち帰る。母は家を守り整え、子を育てる。子供はそれを見て育ち、やがて父のように母のように生きればよかった。パートナーとの関係についてもすべては明瞭であり、疑問の余地はなかった。

ところが、いま男と女の関係はそう単純な話ではなくなった。時代は変わったのである。グレイ博士が指摘するように、女性は自分の可能性に気づき始めて、外の世界でも活躍するようになった。また、男性も自分の中の女性的な部分を大切にするようになってきたのである。

私は、妻が結婚後も働いていたこと、何人もの優れた女性の友人の存在、そして海外でも多くの働く女性たちに出会えたことのおかげで、こうした男と女の意識の変化を早くから感じていた。

しかし私がそこで見たものは、一見女性にとって有利に見える新しい環境の中で、パートナーとの関係をはじめ、いかに多くの女性たちの前に新しい悩みや困難が立ちはだかっているかということであった。

本書を含めてジョン・グレイ博士の著書は、いずれもそうした女性たちへの限りない優しさから出発している。こうした壁に立ち向かうためには、私たち自身が新しい知恵と技術を持って賢く乗り切っていくほかはないのだ。

どうもこの本は女性に有利にできているようだ、と誤解した私の友人に言っておこう。女性と男性の間には有利も不利もないのだ。損も得もない。勝ちも負けもない。たった一つ言えるのは、相手が幸せになれなくて、どうして自分が幸せになれようかということだけなのだ。

本書は、小社より刊行した『結婚の知恵』を再編集のうえ、改題したものです。

ジョン・グレイ（John Gray）
アメリカの著名な心理学者。特に自己開発と人間関係論の分野で活躍。氏が創設したウィーク・エンド・セミナー「男と女の人間関係」講座は、全米各都市で開催され大好評を博している。またCBSやNBC等テレビ、ラジオでホーム・カウンセラーとして絶大な信頼を得ている。著書に、全世界で一二〇〇万部を突破した『ベスト・パートナーになるために』をはじめ*『ベストフレンド ベストカップル』『この人と結婚するために』*『愛が深まる本』*『ジョン・グレイ博士の「愛される女《わたし》」になれる本』（以上三笠書房刊、＊印《知的生きかた文庫》）などがある。

大島 渚（おおしま・なぎさ）
映画監督。京大法学部卒業。「青春残酷物語」「日本の夜と霧」などを発表、ヌーベルバーグの旗手として旋風を起こす。「愛のコリーダ」「愛の亡霊」（カンヌ映画祭監督賞受賞）、「戦場のメリークリスマス」などの国際的作品で知られる。著書に『癒されてゆく日々』『ぼくの流儀』などがある。

知的生きかた文庫

ジョン・グレイ博士《はかせ》の「大切《たいせつ》にされる女《わたし》」になれる本《ほん》

著　者　ジョン・グレイ
訳　者　大島《おおしま》 渚《なぎさ》
発行者　押鐘太陽
発行所　株式会社三笠書房
〒一〇二-〇〇七二　東京都千代田区飯田橋三-三-一
電話〇三-五二二六-五七三四〈営業部〉
〇三-五二二六-五七三一〈編集部〉
http://www.mikasashobo.co.jp
印刷　誠宏印刷
製本　若林製本工場

ISBN978-4-8379-7383-6 C0136

「知的生きかた文庫」の刊行にあたって

「人生、いかに生きるか」は、われわれにとって永遠の命題である。自分を大切にし、人間らしく生きよう、生きがいのある一生をおくろうとする者が、必ず心をくだく問題である。

小社はこれまで、古今東西の人生哲学の名著を数多く発掘、出版し、幸いにして好評を博してきた。創立以来五十余年の星霜を重ねることができたのも、一に読者の私どもへの厚い支援のたまものである。

このような無量の声援に対し、いよいよ出版人としての責務と使命を痛感し、さらに多くの読者の要望と期待にこたえられるよう、ここに「知的生きかた文庫」の発刊を決意するに至った。

わが国は自由主義国第二位の大国となり、経済の繁栄を謳歌する一方で、生活・文化は安易に流れる風潮にある。いま、個人の生きかた、生きかたの質が鋭く問われ、また真の生涯教育が大きく叫ばれるゆえんである。

そしてまさに、良識ある読者に励まされて生まれた「知的生きかた文庫」こそ、この時代の要求を全うできるものと自負する。

本文庫は、読者の教養・知的成長に資するとともに、ビジネスや日常生活の現場で自己実現できるよう、手助けするものである。そして、そのためのゆたかな情報と資料を提供し、読者とともに考え、現在から未来を生きる勇気・自信を培おうとするものである。また、日々の暮らしに添える一服の清涼剤として、読書本来の楽しみを充分に味わっていただけるものも用意した。

良心的な企画・編集を第一に、本文庫を読者とともにあたたかく、また厳しく育ててゆきたいと思う。そして、これからを真剣に生きる人々の心の殿堂として発展、大成することを期したい。

一九八四年十月一日

押鐘冨士雄